Guia de Leitura

100 autores que você precisa ler

Edna Porto
Março/09

Guia de Leitura

100 autores que você precisa ler

Organização e edição de Léa Masina

www.lpm.com.br

L&PM POCKET

Coleção **L&PM** Pocket, vol. 636

Primeira edição na Coleção **L&PM** POCKET: setembro de 2007
Esta reimpressão: abril de 2008

Organização e edição: Léa Masina
Capa: Ivan Pinheiro Machado
Identificação das fotos da capa – Do alto, da esquerda para a direita: Charles Dickens, Julio Cortázar, Albert Camus, Edgar A. Poe, Marcel Proust, Herman Melville, José de Alencar, Machado de Assis, Fiódor Dostoiévski, Eça de Queiroz, Leon Tolstói, Miguel de Cervantes, Lewis Carroll, Umberto Eco, William Shakespeare, Ernest Hemingway, Honoré de Balzac, J. D. Salinger, Franz Kafka, Oscar Wilde, Gustave Flaubert, Jack London, Júlio Verne, Francis Scott Fitzgerald, Clarice Lispector, Jorge Luis Borges, Homero, Alexandre Dumas, Johann Wolfgang von Goethe, Victor Hugo, Virginia Woolf, James Joyce e Raymond Chandler
Revisão: Elisângela Rosa dos Santos e Jó Saldanha

M397g Masina, Léa, (org.)
Guia de leitura: 100 autores que você precisa ler; organização e edição de Léa Sílvia dos Santos Masina. – Porto Alegre: L&PM, 2008.
248 p. ; 18 cm. – (Coleção L&PM Pocket, v.636)

ISBN 978-85-254-1658-2

1.Literatura universal-Coletâneas bio-bibliográficas. 2.Literatura universal-História e crítica. I.Título. II.Série.

CDU 821.1/.9-82
821.1/.9-95

Catalogação elaborada por Izabel A. Merlo, CRB 10/329.

Fale conosco: info@lpm.com.br
www.lpm.com.br

Impresso no Brasil – Outono de 2008

Sumário

Apresentação

Este livro relaciona cem narradores cujas obras integram o chamado cânone da literatura ocidental. Referidas pela crítica e registradas em enciclopédias, dicionários, histórias da literatura e catálogos de editoras, elas fazem parte de um legado cultural comum a leitores capazes de apreciar mais do que a originalidade temática e a intriga: esse tipo de leitores valoriza também a urdidura dos textos e sua qualidade literária que resulta, quase sempre, em uma história bem contada.

O que torna uma obra canônica, além de sua legitimação institucional, é a consagração pelo tempo. Assim, à margem da tendência ora dominante, de questionar o cânone literário institucionalizado, acredito que esta seleção será útil porque sugere boas e variadas leituras. Nela se incluem autores brasileiros e estrangeiros consagrados, dentro da proposta de um limite de até seis textos, selecionados como representativos da obra principal de cada autor. Nesse sentido, foi minha intenção atender às necessidades expressas por alunos universitários e amigos, incluindo títulos estrangeiros traduzidos para a língua portuguesa. Vê-se, pois, que a relação das obras foi elaborada com critérios múltiplos, do gosto pessoal e da importância da obra para os estudos literários à sua inserção na memória da comunidade cultural em que se movimentam os leitores de hoje.

Para melhor configurar a proposta de apresentar uma leitura nova de textos clássicos, convidei intelectuais – escritores, críticos literários, jornalistas e professores – para escreverem uma lauda sobre cada um dos autores. Esse texto crítico tanto pode enfocar uma obra determinada quanto ressaltar a contribuição do escritor para a composição do cânone literário ocidental. A diversidade de pontos de vista contribuirá, com certeza, como forte sugestão e incentivo à leitura.

Para organizar este livro, contei com o auxílio das acadêmicas de Letras Danielle Baretta e Fernanda Lisbôa de Siqueira, com quem partilhei as dificuldades que envolvem um roteiro de narradores. A elas, meus especiais agradecimentos.

Léa Masina

Albert CAMUS

★ Mondovi, Argélia, 1913
✝ Sens, França, 1960

Filho de lavradores, teve uma infância difícil, sobretudo depois da morte do pai ocorrida durante a Primeira Guerra Mundial. Ingressou, como bolsista, num liceu em Argel, chegando à universidade em 1931. Com sérios problemas financeiros e de saúde, dedicou-se à carreira literária, que iniciou como jornalista e fundador do Teatro do Trabalho. Após vários anos de militância no Partido Comunista, mudou-se para Paris em 1940, cidade que abandonou quando da invasão nazista. Pouco depois, regressou à França, aderindo à resistência como diretor da revista *Combat*. Uma de suas obras mais importantes, *A peste*, narra a luta de um médico contra uma epidemia, que simboliza a ocupação alemã na França. Contemporâneo e amigo de Jean-Paul Sartre, seus romances registram uma visão desesperançada da condição humana. Em 1957, Camus recebeu o Prêmio Nobel de Literatura.

Obras principais: *O estrangeiro*, 1942; *A peste*, 1947; *O estado de sítio*, 1948; *A queda*, 1956; *O exílio e o reino*, 1957

Albert Camus
por Antônio Carlos Resende

O escritor argelino Albert Camus, filho de franceses, passou a infância em um bairro pobre, porém confessou mais tarde que a pobreza nunca foi uma desgraça. Já era, como Sartre, um nome consagrado da jovem literatura francesa quando, nos anos 1950, foi recebido com festas por intelectuais gaúchos na capital. Em seu diário, publicado postumamente, escreveu que Porto Alegre era uma cidade feia e que lhe impingiram assistir ao famoso pôr-do-sol do Guaíba, que nada tinha de famoso ou extraordinário, igual aos que já vira, nada de especial. Bem, não importa. Camus era dureza.

O ganhador do Prêmio Nobel de 1957, como outros franceses, influenciou minha geração. Comecei lendo, em tradução espanhola de 1955, *O estrangeiro*. Com timidez, anotei na página 61 que "a ambiência do romance me lembrava o filme *Umberto D.*, de Vittorio De Sica, os protagonistas simples, amorosos de Saroyan, a dolorosa indiferença dos atores Marlon Brando e James Dean". Personagem inexorável, Mersault desprezava a vida, ao contrário de seu criador, que repetia que a sua fraqueza é que amava a vida. "Amo-a tanto que não tenho nenhuma imaginação para o que não for vida."

Se você tem interesse vivo por literatura, não pode se dar o direito de não estudar Camus: pelo que representa como artista, pensador, combatente, homem. Para ele, a arte é, em certo sentido, uma revolta contra o mundo no que este tem de fugaz e inacabado.

Estudando-o, você vai conhecer o clima existencialista dos anos 40 e 50, a polêmica com Sartre, sua luta como resistente à invasão alemã, seus amores, a vida de Paris, a procura dele dum sentido de vida num mundo que não tem sentido, mas enfatizando que o absurdo da vida pode se transformar numa esperança lúcida e solidária.

Se você tem inspiração de ser escritor, vai encontrar em Camus esta reflexão irrefutável: "Cada artista mantém no fundo de si mesmo uma fonte única que alimenta durante a sua vida a ele e as que diz. Quando a fonte secou, vê-se pouco a pouco a obra endurecer, fender-se. São as terras ingratas da arte que a corrente universal não irriga".

Se você abordar seus livros pelo prazer da leitura, vai notar que ao longo de sua escritura ele não conseguiu esconder uma enorme preocupação com a vida e a morte, assim como com o suicídio: "A morte para todos, mas para cada um a sua morte".

Entre no universo de Camus, mas cuidado para não se enredar nos temas cruciais do sentido da vida, da absurda relação do homem com o mundo, da angústia, da revolta com a unidade como solução. Ingresse no mundo de Camus, mesmo sabendo que pode voltar com a alma a arder, como ele ardeu em seu fatal acidente de automóvel em 4 de janeiro de 1960. Tinha apenas 47 anos.

ALBERTO MORAVIA

★ Roma, Itália, 1907
✞ Roma, Itália, 1990

Moravia, cujo nome na realidade era Alberto Pincherle, obrigado a interromper seus estudos por questões de saúde, desde cedo dedicou-se ao jornalismo e à literatura. Sua obra caracteriza-se pelo estilo coloquial, que reforça o amargo realismo com que aborda os aspectos da vida moderna. O sexo, a solidão e as frustrações existenciais foram seus temas constantes, denunciando a precariedade das relações humanas. Em 1929, publicou *Os indiferentes*, romance em que estigmatiza a corrupção moral da classe média. Em *Contos romanos*, o escritor enfatiza os dramas e vicissitudes das camadas mais pobres da população. Perseguido pelo fascismo, Moravia exerceu a militância política ao findar a Segunda Guerra Mundial. Tornou-se célebre no exterior com a adaptação de várias de suas obras para o cinema. Em 1963, expôs suas idéias sobre literatura nos ensaios de *O homem como meta*. Em 1984, foi eleito deputado pelo Partido Comunista Italiano.

OBRAS PRINCIPAIS: *Os indiferentes*, 1929; *As ambições erradas*, 1935; *Agostino*, 1944; *A romana*, 1947; *Contos romanos*, 1954; *Il disprezzo*, 1954; *A camponesa*, 1957; *La noia*, 1960; *Novos contos romanos*, 1983

ALBERTO MORAVIA
por Maria Teresa Arrigoni

Moravia teve seu talento literário reconhecido já em seu primeiro romance, *Os indiferentes*, que surgiu no panorama cultural italiano em pleno fascismo. Enquanto a propaganda do regime procurava enfatizar os feitos militares e expansionistas, Moravia dirigiu seu olhar para a vida comum de uma família italiana de classe burguesa. Acompanhando esse microcosmo em seu dia-a-dia, percebemos a falta de interesse vital que toma conta dos personagens, mesmo os mais jovens, os irmãos Carla e Michele. Com seu estilo teatral, que parece fechar a cortina entre um capítulo e outro, o autor mantém um tom narrativo que, de certa forma, quebra o clima sufocante provocado pela incapacidade de reagir dos personagens. O único que age, pensando somente em si mesmo, é Leo, o corrupto amante de Mariagrazia, a mãe dos jovens; ele não se limita a manipular em seu proveito as finanças da família e a desafiar Michele para demonstrar a incapacidade do rapaz, mas também atua como sedutor da jovem Carla. A indiferença toma conta de tudo e de todos, envolve os personagens, imobilizando-os, impedindo-lhes qualquer reação. E, embora em sua primeira obra isso não pudesse ser explicitado, não seria a indiferença com relação aos fatos políticos, à vida social, aos problemas do cotidiano a causa subterrânea do advento da ditadura fascista no caso italiano?

Em outra obra, talvez pouco comentada, o autor explorou as inquietações do descobrimento do mundo e da iniciação ao sexo por parte de um jovem chamado Agostino, protagonista que dá nome ao romance. Moravia percorreu ainda outros caminhos, que o aproximaram da estética neo-realista ao tecer o retrato de *Romana* e narrar as desventuras da *La Ciociara*, obras que ultrapassaram as páginas escritas e foram transpostas para o cinema. Também se expressou através dos quadros que narrou nos *Contos romanos*, breves cenas de vida na capital italiana, com suas contradições e amarguras.

O tema do tédio comparece em suas obras posteriores, *La noia e Il disprezzo*, em que o sentimento da inutilidade da própria existência não deixa de ser atual e abrangente neste nosso século em que a fragmentação dos valores aliada à falta de confiança nas instituições nos atinge e, por vezes, nos deixa sem ação. O autor toca, pois, em um ponto crucial, válido também para o século XXI, o da alienação, que é causa e ao mesmo tempo se nutre cada vez mais das mazelas da sociedade industrial e capitalista que vai dominando e sufocando nossas melhores características, tornando-nos seres apáticos, distantes, descrentes.

ALDOUS LEONARD HUXLEY

☆ Godalming, Inglaterra, 1894
✝ Los Angeles, EUA, 1963

De ilustre família inglesa, estudou em Eton e Oxford, bacharelando-se em Letras. Dedicou-se à literatura, publicando inicialmente poemas. Viveu na Suíça e nos Estados Unidos, escrevendo sobre assuntos variados. Sua curiosidade levou-o a conhecer outros países, dentre os quais o Brasil. Além disso, submeteu-se a experiências pioneiras sobre a expansão da consciência, ingerindo alucinógenos. Culto e requintado, Huxley publicou uma série de romances nas décadas de 1930 e 1940, criando uma técnica experimental que envolvia a discussão de idéias. A crítica aponta em sua obra a antecipação da contracultura das décadas de 1960 e 1970, tais como a rejeição ao consumismo, a inclusão de tendências anarquistas, o interesse pelo Oriente e as experiências místico-visionárias. Um de seus romances mais conhecidos, *Admirável mundo novo,* é um libelo contra a fé no progresso científico e materialista que, para o escritor, esmaga a individualidade.

OBRAS PRINCIPAIS: *Contraponto*, 1928; *Admirável mundo novo*, 1932; *Sem olhos em Gaza*, 1936; *O macaco e a essência*, 1949; *A ilha*, 1962

ALDOUS HUXLEY
por Patrícia Lessa Flores da Cunha

Escritor inglês de grande sucesso junto ao público, especialmente durante as décadas de 1920 a 1940. Nesse período, escreveu romances, contos e ensaios que repercutiram no ambiente literário de sua época. Foi contemporâneo de Virginia Woolf, Katherine Mansfield, Dorothy Richardson, James Joyce, D. H. Lawrence, entre outros não tão conhecidos do leitor brasileiro, pertencendo, pois, a uma geração de autores inovadores e contestadores, a dos anos de 1920, considerados "anos heróicos" no cenário da literatura inglesa moderna, por recolocarem, de forma revulsiva, transcendendo fronteiras e linguagens, a Inglaterra na vanguarda da cultura ocidental.

De origem aristocrática, autor reconhecidamente controvertido, "modernista", Aldous Huxley foi, de certo modo, desprezado pelos companheiros do círculo literário da época, sendo esnobado até pelo famoso grupo de Bloomsbury, que não via com bons olhos a receptividade de que gozavam seus escritos, principalmente entre os jovens. Nesse sentido, até hoje permanece um escritor *cult*.

Apesar disso, ou por isso mesmo, a crítica sobre Aldous Huxley é de difícil acesso; ele foi o que pode ser considerado um escritor de época. A seu tempo bastante discutido, rebatido e interpretado, pouco se encontra hoje sobre suas obras, embora, paradoxalmente, tenha sido dos primeiros escritores a se preocupar com a trajetória do homem contemporâneo, à medida que ele mesmo se deixava impregnar pelo ceticismo e pela angústia diante dos cada vez mais complicados maniqueísmos da sociedade do século XX.

Como escritor, Huxley era um homem de idéias, sabendo manipulá-las tão bem a ponto de incendiar os espíritos mais audazes com o efeito de sua expressão artística. Enquanto viveu, foi o centro de polêmicas: muito de seus escritos vieram a adquirir matizes proféticos com o advento de importantes descobertas científicas, como são os casos notórios de *Admirável mundo novo* e *O macaco e a essência*. Sob esses aspectos, insere-se também na corrente ficcional partilhada com George Orwell e H. G. Wells.

No entanto, *Contraponto* é o grande livro de Huxley, pelo menos o que lhe trouxe maior fama. Escrito em 1928, pretendeu ser algo novo, embora para muitos seja uma continuação, talvez mais bem desenvolvida, de idéias anteriormente propostas por André Gide em *Os falsos moedeiros* (1925). A idéia básica do romance – e que, em certa medida, explica o título – é a simultaneidade dos eventos em si: diferentes pessoas percebem diferentemente as mesmas situações, tendo como produto final a multiplicidade que compõe o universo, porém de maneira orgânica e estável. Assim, as personagens estão sempre se contrapondo, ou melhor, o autor as contrapõe em um esquema que lembra o jogo científico de ação *versus* reação.

Outra "novidade" que o texto de Huxley apresenta, também relacionada com a estrutura da narrativa, é o uso do *flashback*: determinado incidente, às vezes ao final, outras vezes no meio de um capítulo, serve para iniciar, no narrador, um movimento retroativo, com o que busca estabelecer, freqüentemente, a progressão temporal da história. Esse recurso de recuperação da memória quase sempre se cruza com o outro, já mencionado, da simultaneidade. Na verdade, existem em *Contraponto* dois movimentos distintos, mas entrelaçados na continuidade da ação: um caracteriza o prolongamento do eixo temporal, mediado pelas idas e vindas da lembrança; outro provoca o adensamento da noção, através do confronto das várias percepções diante do mesmo fato.

Essa constatação muitas vezes perturba o leitor, pois são tantas as personagens do romance, e o procedimento tão utilizado através delas, que se chega a considerá-lo banal. No entanto, em Huxley, tudo tem razão de ser: a sua concepção artística é extremamente racional, como bem demonstra o seu texto. O movimento da narrativa pode ser confuso, mas também é sobretudo real: o autor consegue, com êxito, indicar avanços e *démarches* da existência humana no seu cotidiano.

Entre suas obras mais conhecidas, além das anteriormente referidas, citam-se ainda *Crome Yellow* (1921), *Antic Hay* (1923), e o ensaio "Heaven and Hell" (1956).

Alejo CARPENTIER

★ Havana, Cuba, 1904
✞ Paris, França, 1980

Filho de um arquiteto francês, trocou os estudos de Música e de Arquitetura pelo Jornalismo. Preso por criticar a ditadura governista, começou a escrever na cadeia seu primeiro romance, *Ecué-Yamba-Ó* (1931), cujo tema é a vida e a cultura das comunidades negras de Cuba. De 1928 a 1939, esteve exilado na França, onde conheceu o movimento surrealista. Apoiando os republicanos, visitou a Espanha durante a Guerra Civil. Mais tarde, radicou-se na Venezuela, sendo nomeado, em 1970, adido cultural cubano em Paris. Enriquecidos por freqüentes viagens à Europa, a ampla cultura e o conhecimento da música, do folclore e da literatura permitiram ao escritor criar uma narrativa telúrica que antecedeu ao chamado *boom* da literatura latino-americana. É considerado pela crítica como precursor da novelística contemporânea. Sua obra tematiza a resistência cultural da América Latina contra a colonização estrangeira.

Obras principais: *O reino deste mundo*, 1949; *A guerra do tempo*, 1958; *O século das luzes*, 1962; *O recurso do método*, 1974; *A harpa e a sombra*, 1979

Alejo Carpentier
por Tatiana Antonia Selva Pereira

Autor de vocação realista e histórica, o romancista, poeta e crítico cubano Alejo Carpentier aborda, ao longo de sua produção literária, o tema da busca da identidade americana, aproximando-se, em tempo e espaço, da rica realidade do continente. Através da confrontação de culturas – a cultura hegemônica européia e mais recentemente estadunidense com a cultura não-hegemônica latino-americana – e do jogo com a dialética de semelhança e diferença, continuidade e ruptura, universalidade e nacionalismo, identidade e alteridade, o escritor denuncia as falácias do pensamento civilizador e metafísico ocidental vindo dos centros de poder para o Novo Mundo.

No prefácio do romance *O reino deste mundo*, Carpentier define certas zonas do surrealismo como a "burocracia do maravilhoso". E é bom lembrar essa alusão, porque talvez da sua postura crítica ao surrealismo, derivada de certas deformações e retóricas do movimento, tenha surgido o real maravilhoso, quando decide trocar essa "burocracia do maravilhoso" pela "maravilha do real". Considerado o precursor do real maravilhoso ou da realidade maravilhosa americana, como um novo projeto de leitura da realidade controlada pela razão e ao mesmo tempo pela fé, Carpentier descreve e recria artisticamente a realidade latino-americana, entrelaçando a realidade e o sonho, a razão e a imaginação, a história e a fábula, a vida e a morte para conformar uma espécie de tapete mágico e alegórico. Na sua narrativa, faz uso de uma linguagem eloqüente, rica, repleta de matizes, por vezes majestosa e erudita. O percurso intelectual e a formação acadêmica do autor cubano (jornalista, músico, escritor e diplomata) se fazem presentes em seu pensamento interdisciplinar. Carpentier não só trabalha, na sua narrativa, com manifestações artísticas como a música, a pintura, a arquitetura, a dança e o teatro, como também com discursos filosóficos, históricos, geográficos, sociológicos e antropológicos, entre outros.

A produção literária de Alejo Carpentier não somente faz alusão à "descoberta" e à "invenção" da América pelos europeus, como também ajuda a identificar traços específicos das literaturas hispânicas e latino-americanas que tentam explicar a América segundo a versão dos colonizados, os quais buscam reinventar suas origens e traçar seu futuro. Criando e recriando – dentro dos limites constituídos por documentos, tratados históricos e cartas – personagens, cenários e fatos que se fazem reais através do ficcional, Carpentier integra histórias e culturas nacionais da região caribenha desse Novo Mundo numa história e cultura latino-americanas de marca inconfundível por seus mitos e lendas, por sua beleza e riqueza cultural, inserindo-as na literatura universal.

Aleksandr Sierguéievitch PÚCHKIN

★ Moscou, Rússia, 1799
✝ São Petersburgo, Rússia, 1837

De família aristocrática, freqüentou a sociedade czarista como oficial da Guarda Imperial. Influenciado pelas idéias liberais vindas da França, participou de uma fracassada conspiração, sendo deportado para o Cáucaso, onde principiou a escrever sua obra, composta de poemas, romances e dramas. Perdoado, retornou a São Petersburgo, já prestigiado pela fama literária. No romance em verso *Yevguêni Oniéguin* (1823-1831), propõe uma linguagem realista. Suas personagens, tipicamente russas, são retratadas em conjunto com as forças sociais e ambientais que determinam seu caráter. Considerado o fundador da literatura de seu país, sua obra influenciou os escritores russos do século XIX, entre os quais Gogol, Tolstói e Dostoiévski.

Obras principais: *Ruslán e Ludmila*, 1820; *Os ciganos*, 1824; *Bóris Godunov*, 1825; *Yevguêni Oniéguin*, 1831; *A dama de espadas*, 1833; *O cavaleiro de bronze*, 1833; *A filha do capitão*, 1836

Aleksandr Púchkin
por João Armando Nicotti

A literatura russa do século XIX, já se tem afirmado, deve muito a Púchkin: seus posteriores, como Turguêniev, Gonchárov, Tolstói e Dostoiévski, partiram do estilo de prosa puchkiniano, nas palavras do crítico Yuri M. Lottman. Púchkin extrapola, porém, as influências que criou, uma vez que o mito em torno de seu nome alcança, para os russos, a formação cultural, desde quando crianças escutam os versos do poeta e prosador. Em duas expressões conhecidas em sua obra, Púchkin significou, progressivamente, a *consciência* e a *língua* russas. A vida cotidiana e a observação realista do clássico da simplicidade aliam-se ao folclore russo. Assim, o trabalho lingüístico e o dinamismo de seus versos abriram caminho para o realismo na prosa do século XIX.

Yevguêni Oniéguin, iniciada em Mikháilovskoie, é a obra responsável por esse legado. Forma e laconismo confluem para aquele *estilo adocicado*, nas palavras de Nikolai Gogol. Em 1814, seus primeiros poemas chamam a atenção, reforçados pelo episódio, quando ainda no liceu, com o poeta Gravila Románovitch Derzhavin, que se emociona com os versos do jovem poeta, *Recordações em Tsárskoie Seló* (1815). Mais tarde, Púchkin consegue escrever a partir da síntese que faz das duas tendências da época: a dos *shishkovistas* (com a distinção dos estilos elevado e baixo) e a dos ligados a Karamzím (com a defesa das novas correntes européias).

Seu ideal de clareza e elegância associou-se à fala do povo a partir dos contos populares. Em *Ruslán e Ludmila* (recuperação, em um longo poema, do folclore nacional, 1817-1820), buscou os registros baixo e elevado, sustentando a plasticidade lingüística do russo popular e suas evoluções. Seu romanticismo, mesclado com o exotismo oriental e a atenção à realidade circundante, se faz presente nos poemas "O Prisioneiro do Cáucaso" (1821), "Os Irmãos Bandidos" (1821-1822) e "Os Ciganos" (1824). Com *Bóris Godunov* (teatro da *tragédia do poder*, 1825) e *Yevguêni Oniéguin* evoluiu para o realismo dos tipos humanos, da natureza e do social.

O enfoque histórico e social ganhou ênfase na obra de Púchkin com *O Negro de Pedro, o Grande* (1827), *O cavaleiro de bronze* (1833) e *A filha do capitão* (1836). O período conhecido na história da literatura russa como *O outono de Bóldino*, iniciado com *Yevguêni Oniéguin*, ampliou-se com *Relatos do defunto Ivan Petróvitch Biélkin* e *Pequenas tragédias*. Assim, duas linhas mestras para a literatura russa se formaram: a realista (*O mestre de postas*) e a grotesca (*O fabricante de caixões*), que se ratificaram no último período da vida de Púchkin: *A filha do capitão* e *A dama de espadas* (1833). Ele foi o princípio, o meio e a referência da literatura russa moderna.

Alexandre DUMAS

☆ Villers-Cotterêts, França, 1802
✝ Puys, França, 1870

Alexandre Dumas é considerado o criador dos romances de capa e espada: *Os três mosqueteiros* e *O conde de Monte Cristo*, por exemplo, tornaram-se paradigmas do gênero. Passando por dificuldades financeiras com a morte do pai, general do exército napoleônico, Dumas fixou-se em Paris. Na capital, conviveu com os poetas do Romantismo que o influenciaram, escrevendo dramas que logo o tornariam conhecido. Dedicou-se também à política, participando da Revolução de 1830 e como candidato a deputado nas eleições de 1848. Seus romances, traduzidos para as línguas mais conhecidas de então, com suas intrigas, aventuras e duelos espetaculares, recriavam o gênero, especialmente por intercalarem fatos históricos e situações amorosas. Alguns de seus personagens, como D'Artagnan e os mosqueteiros Athos, Porthos e Aramis, continuam despertando o interesse dos leitores e servindo de inspiração para novos textos e filmes. Comparável a Balzac e Victor Hugo, seus heróis tornaram-se ícones da cultura ocidental.

Obras principais: *Antony*, 1831; *A torre de Nesle*, 1832; *Os três mosqueteiros*, 1844; *O conde de Monte Cristo*, 1844-1845; *A rainha Margot*, 1845; *O homem da máscara de ferro*, 1846; *O colar de veludo*, 1850

Alexandre Dumas
por Helena Tornquist

Poucos escritores conservaram, como Alexandre Dumas, a popularidade obtida em vida: autor prolífico, muitas de suas obras (cerca de trezentas) até hoje são lidas, reencenadas ou transformadas em filme. Atraído pela efervescência artística de Paris, o jovem provinciano logo se engaja na literatura romântica, enraizada na história nacional e, de modo especial, no teatro, a forma artística de maior prestígio então. Se suas primeiras peças, marcadas por um tom melodramático, não iam além das salas populares, ele seria responsável, juntamente com Victor Hugo, pela renovação da dramaturgia francesa do século XIX. É de sua autoria a primeira peça romântica encenada em Paris: o drama *Henri III e sua corte*, levado em março de 1829 na Comédie Française. A esse sucesso seguiu-se *Antony*, que, em nome do decoro, atenuava a polarização bem/mal, e, numa concessão ao público burguês, apenas tangenciava o tema do adultério. Porém, sua consagração definitiva como dramaturgo viria com *A torre de Nesle* – um drama histórico ambientado no século XIV, que chegou a oitocentas representações, sendo considerado, por muitos, sua melhor realização (a peça foi representada com sucesso no Brasil).

Seu domínio da técnica dramática direcionou-se aos poucos para a ficção, em continuidade a um romance que escrevera em 1838. Esses romances, publicados nos folhetins de jornais, graças à fértil imaginação do escritor, atingiam um público ávido de emoções fortes, que se deixava arrebatar pelo movimento da narrativa, apoiado numa intriga bem construída, com seus desfechos surpreendentes. Com efeito, a trilogia *Os três mosqueteiros*, *Vinte anos depois* (1845) e *O visconde Bragelonne* (1847), sustentada pelas aventuras dos espadachins do rei da França, unidos sob a divisa "um por todos, todos por um", é entremeada de lances dramáticos em que inveja e vingança envolvem crime e violência. Outras aventuras, em geral de fundo histórico, situam-se na época do Antigo Regime ou no período bonapartista, como *O conde de Monte Cristo*. Este último, até hoje um clássico do romance de aventuras, tem como herói Edmond Dantès, que, vítima de ciúme e intrigas, é aprisionado no Castelo d'If, de onde consegue se evadir para perpetrar sua vingança contra seus traidores e recuperar o amor de Mercedes. Já a trilogia dos Valois – *A rainha Margot*, *A dama de Monsoreau* (1846) e *Os quarenta* e cinco (1847), recria a França do século XVI, período marcado por intrigas políticas e pela intolerância religiosa. O historiador Michelet referiu-se a Dumas como um gênio inesgotável, uma força da natureza que ultrapassava todas as fronteiras. As diferentes versões para cinema e televisão parecem confirmar isto: se personagens como Dantès e d'Artagnan transcenderam o universo ficcional, sendo bastante conhecidas ainda hoje, é porque, como bom escritor, Alexandre Dumas soube conferir-lhes o dom da vida.

Alexandre DUMAS FILHO

★ Paris, França, 1824
✝ Marly-le-Roi, França, 1895

Filho do romancista Alexandre Dumas, Dumas Filho estreou na literatura sob a égide do Romantismo. Após a discreta repercussão de seu romance *A dama das camélias*, transformou o texto em peça teatral, correspondendo ao interesse do público de sua época. Nele narra a história da prostituta Marguerite Gautier, que se apaixona e morre por amor, pois não pode enfrentar os preconceitos da vida social nas altas esferas da sociedade francesa. Montada em 1852, a peça obteve sucesso imediato, vindo a servir como inspiração para a ópera "La Traviata", do músico italiano Giuseppe Verdi. Durante mais de trinta anos, a cena parisiense foi dominada pelas peças de tese de Dumas Filho, que atacavam os preconceitos sociais, preconizando uma vida mais livre em sociedade, na qual os direitos da mulher e da criança fossem respeitados. Em 1875, foi eleito para a Academia Francesa.

Obra principal: *A dama das camélias*, 1848

Alexandre Dumas Filho
por Ana Maria Lisboa de Mello

Alexandre Dumas Filho, filho do famoso escritor romântico Alexandre Dumas, escreveu os seus primeiros versos aos dezessete anos. Obteve muito sucesso junto ao público leitor e ficou conhecido, principalmente, pelo romance e pela peça teatral intitulada *A dama das camélias* (1848) e por duas peças de teatro: *O filho natural* (1958) e *Pai pródigo* (1959).

A dama das camélias, narrativa transformada em drama em 1852, conta a história de uma prostituta virtuosa – Marguerite Gautier – por quem o jovem de boa família Armand Duval se apaixona. Levada pela mesma paixão autêntica pelo jovem, que é correspondida, Marguerite sente a necessidade de abandonar sua vida de cortesã em Paris e de se refugiar, com ele, em uma pequena casa de campo, indo em busca da pureza e da solidão. Mas a felicidade do casal é efêmera, pois o pai de Duval intervém no relacionamento, pressionando Marguerite a deixar seu filho, com o argumento de que ela se constituiria em obstáculo ao seu futuro, bem como ao de sua filha, que ficaria impedida de casar com o homem que ela ama, enquanto Duval mantivesse um relacionamento com uma pessoa desonrada. Marguerite sacrifica-se e separa-se de Duval, dando-lhe a entender que está cansada da nova vida e que prefere retornar à sua costumeira vida parisiense. Ao descrever a personagem, o narrador assinala que ela, sempre que aparecia no teatro, trazia entre as mãos um buquê de camélias.

O romance tem por base a vida real do escritor, que manteve um relacionamento com uma prostituta – Marie Duplessis – durante um ano, quando ambos tinham em torno de vinte anos. Segundo o escritor e jornalista Jules Janin, a jovem Duplessis era possuidora de uma beleza tão rara que chamava a atenção de todos quando entrava em determinado ambiente. Sua beleza combinava o rosto sério, o olhar ingênuo e a elegância aristocrática, como se ela tivesse sido educada em meios culturais privilegiados. Um ano após o início do relacionamento com ela, Alexandre Dumas Filho enviou-lhe uma carta, anunciando o rompimento. Ao retornar a Paris de viagem à Espanha com o pai, o jovem escritor fica sabendo da morte de Marie Duplessis, que residia no Boulevard Madeleine, e da venda de seus objetos pessoais para pagamento dos credores, tal como narra o início do romance. O livro de Dumas Filho é publicado no ano seguinte à morte de Marie Duplessis, em 1852, e é transformado em peça teatral pelo próprio escritor. O compositor italiano Verdi assiste no teatro de Vaudeville em Paris à encenação da peça e, a partir do mesmo argumento, cria a ópera "La Traviata", alterando alguns acontecimentos e os nomes das personagens. O romance, a peça e a ópera são testemunhos de que a história de Marguerite Gautier e do jovem Armand Duval comoveu o público francês e internacional, vindo a constituir-se em um clássico do século XIX que permanece na memória coletiva.

Alexandre HERCULANO

☆ Lisboa, Portugal, 1810
✝ Val-de-Lobos, Portugal, 1877

De família modesta, estudou na Congregação do Oratório e fez curso de diplomática na Torre do Tombo. Devido às suas idéias libertárias, emigrou para a Inglaterra, onde leu Walter Scott. Participou de atividades políticas em Portugal, apoiando o partido liberal português. Colaborou na organização da Biblioteca do Porto, sendo nomeado diretor das Bibliotecas Reais das Necessidades e da Ajuda. Por suas manifestações antiabsolutistas, foi perseguido por mais de uma vez, tendo que se refugiar na Inglaterra e na França, onde se ocupou de pesquisas históricas. Além de representar, em sua obra literária, a história de sua terra e os costumes de seu povo, Alexandre Herculano foi um historiador rigoroso, tendo publicado a *História de Portugal* (1846-1853) em quatro volumes. Sua obra literária é considerada referencial para os estudos do Romantismo europeu.

Obras principais: *Eurico, o presbítero*, 1844; *O monge de Cister*, 1848; *Lendas e narrativas*, 1851; *O bobo*, 1878

Alexandre Herculano
por Dileta Silveira Martins

O maior representante do saber jurídico, social e econômico do liberalismo em Portugal foi Alexandre Herculano. Sua obra apresenta um teor altamente polêmico e, como autor, desenvolve uma intensa atividade literária, iniciado como o foi em escritores do nível de Schiller, Klopstock e Chateaubriand. Freqüentou a geração pré-romântica, e, na França, contribuíram para o seu notável prestígio Thierry, Guizot, Victor Hugo e Lamennais, não só na poesia, como também na historiografia, nas lendas e nas narrativas com testemunhos, que o levaram a ser considerado como o mestre do romance histórico em Portugal.

Em sua originalíssima obra, conjugam-se harmonicamente gêneros diversos nos quais se marca, desde as suas primeiras produções como poeta e romancista, a implantação de princípios doutrinários e reformistas correspondentes à sua posição política.

Na fase poética, suas produções inserem-se em pleno Romantismo e sua mais antiga composição – "Semana Santa" – eleva os ideais cristãos e liberalistas. Sua poesia explicita meditações a respeito de paisagens, de acontecimentos, reflete sobre Deus, sobre a efemeridade humana, sempre veiculando o sentimento de finitude e de solidão. Em poemas como "A cruz mutilada", "O mosteiro deserto", "A vitória e a piedade", interessam-lhe, sobretudo, questões que alternam o cristianismo e a irreligiosidade iluminista num estilo apocalíptico e retórico.

Herculano romancista influenciou sobremaneira a Geração de 1870 e introduziu em Portugal o romance histórico, que deu origem à novelística portuguesa moderna.

Em sua obra romanesca, entremearam-se o social, o político, a filosofia, a poeticidade e o sentimento de transcendência no jogo efêmero da existência humana. Assim, em *Alcaide de Santarém*, em *Alcaide do Castelo de Faria* e *Eurico, o presbítero*, os temas de origem religiosa são uma marca dos romances de Alexandre Herculano.

Personagens que se movem entre o divino e o demoníaco enchem as páginas do autor, representando grupos sociais, como a burguesia, o clero, a nobreza, e atestam o teor melodramático de Herculano. O estilo pleno de imagens, símbolos, ritmo e musicalidade leva o leitor a reconhecer uma composição peculiar de um verdadeiro *bricoleur*. Alexandre Herculano incursiona pelo ensaio, pela novela e pelo memorialismo, participando dos problemas cruciais de seu tempo e elegendo-se como um dos mais notáveis escritores da nação portuguesa.

Almeida GARRETT

★ Porto, Portugal, 1799
✝ Lisboa, Portugal, 1854

Considerado o introdutor do Romantismo em Portugal, sua obra renovou a poesia, o teatro e a ficção, estabelecendo os alicerces da literatura portuguesa. Devido à invasão napoleônica, sua família emigrou para a Ilha Terceira, nos Açores, onde Garrett fez seus primeiros estudos. Após desistir da carreira eclesiástica, estudou Direito em Coimbra, tornando-se um ardoroso militante liberal, o que lhe custou duas vezes o exílio na França e na Inglaterra. Nesse país, conheceu o Romantismo e estudou a obra de Shakespeare. Designado para missões diplomáticas, prestou serviços na Bélgica, de onde retornou para dedicar-se à literatura, escrevendo poemas, peças de teatro e romances. Suas obras distinguem-se por uma crescente consciência das autenticidades cultural e histórica associadas a procedimentos dramáticos. Exerceu intensa atividade como crítico literário, jornalista, pesquisador da literatura e organizador do teatro nacional português.

Obras principais: *Frei Luís de Souza*, 1844 (peça teatral); *Viagens na minha terra*, 1846 (romance-reportagem); *Folhas caídas*, 1853 (poesia)

Almeida Garrett

por Lisana Bertussi

Garret é importante escritor do Romantismo de Portugal, embora tenha em sua obra momentos de grande realismo e humor, o que prova sua genialidade por não se filiar apenas a uma tendência e prenunciar os estilos de época seguintes. Descendente de irlandeses, viveu, desde criança, na ilha dos Açores, onde realiza seus primeiros estudos. Mais tarde, segue para Coimbra, onde faz o curso de Direito. Liberal, participa ativamente dos movimentos emancipadores de seu país, sendo obrigado a exilar-se na França e na Inglaterra, onde conhece a obra de Shakespeare, assim como os românticos Sterne, Byron e Walter Scott, colhendo informações para compor personagens femininas de seu romance mais importante, *Viagens na minha terra*, publicado em folhetim na revista lisbonense, de 1843 a 1845. Na França, ganha a vida escrevendo poesia, sendo poeta maior, com a obra-prima *Folhas caídas*, inspirada em caso de amor com a viscondessa da Luz. Teatrólogo, escreveu uma das mais importantes peças trágicas da literatura universal, *Frei Luís de Souza*.

Viagens na minha terra, sua obra ficcional mais importante, é um desafio para a crítica, que tem dificuldade em classificá-la, uma vez que tem características de gêneros de fronteira entre o romance, a novela, a crônica, a literatura de viagens e a reportagem, lembrando, por sua capacidade de síntese cultural de época, um Umberto Eco de hoje. A narrativa, ao desempenhar um papel similar às novelas de hoje para o leitor, conta, em capítulos, uma viagem de Garret de Lisboa a Santarém, em que o narrador vê o símbolo do percurso degradante do progresso no mundo capitalista, pois além de não se respeitar o homem e os valores autênticos, e a exploração dos ricos sobre os pobres ser contundente, não se preserva a História e os monumentos de Portugal.

Como propugnava o Romantismo, o texto recupera um mito da cultura popular, a "lenda da menina dos rouxinóis", espécie de novela inserida no romance, como um segundo plano narrativo. Ela configura um universo no qual a Guerra Civil de 1824 é pano de fundo e suporte para a personagem Carlos, soldado da revolução, com temperamento volúvel e apaixonado, romântico típico, que não consegue decidir qual o alvo maior de sua paixão: a prima Joaninha, a "menina dos rouxinóis", as irmãs inglesas, Laura, Julia, ou Georgina, a freira Soledade. Como ingrediente forte da trama romântica, há um segredo que Frei Diniz, um conservador amigo da família de Joaninha, carrega: ele é pai de Carlos. O desfecho tem, por um lado, um componente romântico, já que Joaninha enlouquece, e, por outro, um elemento realista, pois Carlos, de sonhador liberal e apaixonado incorrigível, passa a gordo barão e político.

Anton TCHEKHOV

★ Tanganrog, Rússia, 1860
✝ Badenweiler, Alemanha, 1904

Descendente de servos da gleba e filho de um pequeno comerciante, formou-se médico pela Universidade de Moscou. Trabalhou duramente para pagar seus estudos e sustentar a família, exercendo a medicina numa clínica rural. Depois de alguns anos, dedicou-se apenas à literatura, publicando contos em revistas. A contenção necessária do conto, numa época em que o governo russo exercia rigorosa censura sobre a intelectualidade, fez dele o criador de textos intensos e concisos. Mestre do gênero, sua visão de mundo é ética e democrática, voltada para o combate das injustiças e para a sátira contra a sociedade. Apontado pela crítica como o criador do conto sem enredo ou de atmosfera, sua obra veicula simpatia e compaixão pelos homens, sendo considerado o intérprete dos intelectuais, das mulheres e das crianças. Dramaturgo, romancista e contista, seus textos influenciaram toda a literatura ocidental.

Obras principais: *A estepe*, 1888; *Enfermaria nº 6*, 1892; *Tio Vânia*, 1898; *A dama do cachorrinho*, 1898

Anton Tchekhov
por Juremir Machado da Silva

Neto de servo, filho de pequeno comerciante, o adolescente Anton Tchekhov foi arrancado de sua cidade natal, Tanganrog, situada à beira do mar de Azov, pela falência do pai. Descobriu, então, as ruas de Moscou e a "escola da vida". Graças a esse aprendizado diário do cotidiano, complementado pelo curso de medicina, ele se tornaria um extraordinário observador e narrador da vida comum. Não lhe interessavam os grandes heróis nem os sábios exemplares, mas sim os homens médios, a gente de todo dia, a existência menor que constitui o social como um todo. De certo modo, Tchekhov, mestre da precisão e da narrativa concisa, sempre quis entender as engrenagens do vivido a partir da sua essência: o banal.

Como se fosse um cientista examinando fenômenos bem delimitados, tratou de individualizar os casos abordados pelo seu olhar de escritor e de mostrar o existente com base em dados e elementos concretos em lugar de refletir sobre abstrações ou generalidades. Essa maneira de ver o mundo e de construir os seus personagens aparece nas suas novelas ou no seu teatro. Habituado a escrever histórias muito curtas para jornais e revistas, ele sempre soube ir direto ao ponto, mesclando detalhes com uma percepção aguda e, através do humor, revelando o absurdo das situações descritas. Escreveu mais de seiscentos textos em quarenta e quatro anos de vida.

Nunca mudou o seu método. Quem descobre *Tio Vânia*, *Três irmãs* (1901), *O jardim das cerejeiras* (1904), ou qualquer uma das suas histórias célebres ou menos conhecidas, defronta-se com uma mistura de cômico, patético e trágico. Em resumo, acompanha a transfiguração do banal pelos incidentes do cotidiano. Em "Angústia", história muito breve, que pode ser lida na edição brasileira de *O homem no estojo* (1889), toda a arte de Tchekhov emerge: num anoitecer gelado, sob a neve, o cocheiro Iona tenta falar com alguém sobre a morte do filho. Ninguém quer ouvi-lo. Ao final de uma jornada de trabalho infrutífera, no mais fundo da sua solidão, ele encontra, enfim, quem lhe dê ouvidos: sua égua. Uma última frase econômica resume um mundo de desespero: "Iona se deixa arrebatar e conta-lhe tudo".

Arthur SCHNITZLER

☆ Viena, Áustria, 1862
✝ Viena, Áustria, 1931

Médico, dramaturgo, contista, romancista e ensaísta, é um dos principais representantes da literatura austríaca do século XIX para o século XX. Embora freqüentasse os meios cultos da Jovem Viena, convivendo com escritores e artistas, precisou enfrentar o anti-semitismo austríaco. Através de seus dramas, romances e novelas, traduziu o charme irônico e melancólico da Viena de sua época, elegendo como temas o sexo, o amor, o racismo e o preconceito em geral. A crítica reconhece sua contribuição como um dos introdutores da técnica de monólogo interior no romance e na novela. Como Freud reconheceu em carta ao escritor, coube a Schnitzler desenvolver, na ficção, um verdadeiro tratado sobre a psique humana. Nele se incluem questões como o amor e a morte, a infidelidade e o adultério, o medo e o horror. Stanley Kubrick baseou-se no romance *Breve romance do sonho* para realizar seu último filme, *De olhos bem fechados* (1999).

Obras principais: *A senhora Beate e seu filho*, 1913; *O retorno de Casanova*, 1918; *Senhorita Else*, 1924; *Breve romance de sonho*, 1926; *Contos de amor e de morte*, 1927

Arthur Schnitzler

por Vera Cardoni

Médico, escritor e dramaturgo, Arthur Schnitzler nasceu, viveu e morreu na cidade de Viena. Seu nome pertence ao grupo de intelectuais que contribuíram para a efervescência nas artes e na cultura no período compreendido como de grande ascensão do conhecimento, a Viena do final do século XIX e início do século XX.

Contemporâneo de Sigmund Freud e do nascimento da Psicanálise, forma de conhecimento que revolucionou a compreensão do pensamento sobre a formação da subjetividade humana e da cultura, Schnitzler era considerado por Freud como sendo o seu duplo. Dessa admiração existe comprovada documentação de cartas escritas por Freud para Schnitzler. A aproximação dos dois pensadores é inevitável, dado que Schnitzler instigava a sociedade à qual pertencia. Assim como Freud, também foi rotulado de pornográfico e perverso, sendo ambos perseguidos pelo crescimento do anti-semitismo na Europa.

Os textos escritos para o teatro tornaram Schnitzler bastante polêmico e popular em Viena, já que em suas peças colocava em cena, de forma irônica e crítica, a fragmentação do Império Austro-Húngaro, o crescimento da burguesia e as questões referentes ao sentimento de perda e esvaziamento do ser. A obra de Arthur Schnitzler apresenta importantes pistas sobre a sociedade vienense, despindo a hipocrisia "vitoriana" e mostrando as ambivalências contidas no universo da sexualidade e do erotismo, na vaidade, no heroísmo romântico, na distinção entre realidade e ilusão, na promiscuidade e pureza, na emancipação feminina, nos impulsos de amor e morte, na insanidade e no hedonismo cínico. Suas incursões por esses campos puderam ser valorizadas exatamente porque o escritor era oriundo de uma família judaica da alta classe média vienense e, sendo médico, como seu pai, não se sentia feliz com essa profissão, optando por se tornar escritor a despeito das objeções paternas.

O texto do artista, na perspectiva de um narrador que tudo vê e tudo sabe, pode ser compreendido como um personagem-testemunha dentro da trama. Em Schnitzler, essa circunstância é contada de forma linear. Porém, quando o narrador se instala na personagem-protagonista, essa perspectiva ocupa e cria o que se poderia chamar de um espaço absoluto, de um estado próximo ao devaneio, um sonhar acordado, um entre-lugar da consciência. Um estado mental em que várias partes de uma pessoa conversam entre si. A isso, os estudos teóricos sobre a narrativa chamam de "fluxo de consciência" ou monólogo interior, forma textual em que é revelada a impressão humana do sentimento de descontinuidade e dissociação. Esse processo literário é atribuído a

Arthur Schnitzler como uma nova estética de narrativa na literatura de língua alemã.

Um exemplo concreto de aplicação do pensamento literário de Schitzler será amplamente conhecido através da adaptação de uma de suas novelas – *Breve romance de sonho* – para o cinema, realizada por Stanley Kubrick em seu último trabalho, no filme intitulado *De olhos bem fechados*, ocasião que propiciou o conhecimento desse importante autor, bem como a recepção, no Brasil, de seus trabalhos literários.

AUGUSTO ROA BASTOS

★ **Assunção, Paraguai, 1917**
✝ **Assunção, Paraguai, 2005**

Nasceu na capital, Assunção, mas aos três anos segue com a família para Iturbe, um pequeno povoado do interior, região de plantações de cana-de-açúcar. Desde cedo, lutou contra as desigualdades sociais e as ditaduras paraguaias, o que resultou em seu exílio na Argentina por quase trinta anos e mais vinte na França. Em suas obras, exprime a alma paraguaia com fortes traços da cultura e da língua guarani, narra situações de conflito e injustiças sem seguir uma linha cronológica previsível, mas propondo o trânsito e a simultaneidade entre recordações, impressões e testemunhos das personagens. Em 1989, Roa Bastos recebeu o Prêmio Cervantes, distinção máxima da literatura espanhola. No mesmo ano, é deposto o ditador Alfredo Stroessner e se inicia um processo de redemocratização no país, o que permite seu retorno ao Paraguai em 1996. Falece na sua cidade natal em 2005.

OBRAS PRINCIPAIS: *Hijo de Hombre*, 1960; *Yo el Supremo*, 1974; *Vigilia del Almirante*, 1992; *El Fiscal*, 1993

AUGUSTO ROA BASTOS
por Glória Pacheco Saldivar

Embora tenha incursionado no gênero lírico, é na narrativa que Augusto Roa Bastos se consagra, dando a conhecer importantes elementos do universo simbólico paraguaio e elaborando uma linguagem singular na tentativa de articular as possibilidades expressivas e de significação de dois sistemas lingüísticos opostos e em conflito: o espanhol e o guarani. Assim, o enfoque do fenômeno bilíngüe paraguaio é um aspecto essencial em toda a sua obra. O primeiro recurso adotado foi, por exemplo, a alternância de termos e/ou expressões autóctones ao longo da prosa do narrador em língua espanhola. Posteriormente, Roa Bastos experimenta outras formas de conjugar as duas línguas até atingir em seu principal romance, *Yo el Supremo*, procedimentos sofisticados, como a incorporação de particularidades sintáticas e morfológicas do guarani na escrita do espanhol.

Outro valor de suas narrativas é a constante recriação do acontecer histórico, buscando entrever eventos, personagens e sentidos que estão à margem do discurso oficial da história paraguaia. Paralelamente, são desmistificados alguns acontecimentos e algumas figuras cuja importância na história foi superestimada pelas classes dominantes, criando as bases de uma nacionalidade opressora e alienante, bem como favorecendo o surgimento e a manutenção de sucessivos governos ditatoriais. Além disso, Roa Bastos analisa os meandros do poder absoluto, o desejo insano dos homens por possuí-lo, as suas fragilidades e armadilhas.

O impulso do olhar retrospectivo através da literatura parte sempre de uma visão contemporânea dos problemas sociais e políticos que castigam o povo paraguaio. Considerando os seus romances mais notáveis, e mesmo que de forma parcial e com os recursos da ficção, temos um retrato histórico consistente desde 1814 a 1980, aproximadamente. Em *Yo el Supremo*, Roa Bastos propõe um revolucionário processo de leitura da realidade histórica ao delinear o perfil do ditador José Gaspar Rodríguez de Francia, que governou entre 1814 e 1840. Em *Hijo de Hombre*, aparecem rápidas mas contundentes pinceladas da ditadura de Francia, a Guerra contra a Tríplice Aliança, várias guerras civis e, finalmente, a Guerra do Chaco, contra a Bolívia. *El Fiscal* traz uma visão condensada sobre a guerra contra a Tríplice Aliança, as dores do exílio, alguns movimentos de resistência às ditaduras fora do país, assim como tentativas para derrubá-las com referências mais diretas ao ex-ditador Alfredo Stroessner, deposto em 1989. Por fim, *Vigilia del Almirante* problematiza a viagem de descobrimento empreendida por Cristóvão Colombo.

Bram STOCKER

★ Dublin, Irlanda, 1847
✝ Londres, Inglaterra, 1912

De família modesta, Stocker freqüentou o Trinity College em sua cidade natal. Embora atraído pelo jornalismo e pela poesia, especialmente a de Walt Whitman, com quem chegou a manter correspondência, estudou ciências exatas. Funcionário e crítico teatral, esteve na Irlanda em 1876 como secretário e representante do ator inglês Sir Henry Irving, com quem dirigiu o Lyceum Theatre de Londres. Juntamente com outros literatos da época, como Stevenson, Yeats, Conan Doyle, Rider Haggard e Arthur Machen, participou de uma sociedade esotérica e ocultista, cuja temática está presente em sua obra. Sua fama internacional deve-se, sobretudo, ao romance *Drácula*, que narra a história do conde Drácula, da Transilvânia, um vampiro obcecado pelo amor de sua esposa, morta e reencarnada. Esse enredo tem servido, ao longo do tempo, como inspiração para filmes e romances.

Obra principal: *Drácula*, 1897

Bram Stocker
por Rafael Bán Jacobsen

Bram Stocker é um desses autores que garantiu sua imortalidade no panorama da literatura ocidental com apenas uma obra. Apesar de ter escrito e publicado vários romances, contos e até mesmo uma coletânea de histórias de fadas para crianças, seu nome é hoje conhecido como o autor de *Drácula*. Indagar a respeito da importância de Stocker para as letras é buscar compreender as razões do fascínio exercido por Drácula no imaginário coletivo. Graças, fundamentalmente, às muitas adaptações cinematográficas, todos conhecem bem a história de Jonathan e Mina Harker, Van Helsing e demais membros do grupo que enfrenta e derrota o velho vampiro transilvano obcecado pela busca da reencarnação de sua amada; porém, até mesmo pelo desgaste desse tão repetido enredo, torna-se pouco aparente a riqueza subjacente a ele.

Chama a atenção a grande originalidade da obra, obtida a partir de elementos já conhecidos, a começar pelo seu mote principal, o vampirismo, que, tendo origem na mitologia da Suméria e da Mesopotâmia, já há muito fazia parte do folclore europeu, personificado mesmo em figuras históricas como a condessa Erzsébet Báthory, que, conta-se, banhava-se em sangue de mulheres jovens para conservar sua beleza, e o príncipe romeno Vlad Tepes, conhecido pela crueldade de seus atos. Além disso, a decisão de contar a história por meio do testemunho de múltiplos registros – diários, cartas, notas, recortes de jornais, gravações – partiu, provavelmente, da leitura dos livros de Wilkie Collins (*The Moonstone*, *The Woman in White*). Essa estrutura narrativa, essa alternância de pontos de vista das diferentes personagens têm a propriedade de conservar intacto o mistério de Drácula, dado que este é sempre aproximado do leitor de forma indireta.

Negando-se uma voz narrativa ao conde, é reforçado textualmente seu papel como o outro, o estrangeiro, a criatura das trevas. Mesmo o estilo do romance, apelando para o sombrio, o sobrenatural e o etéreo, está vinculado à chamada literatura gótica, vertente bastante comum na Inglaterra do século XIX, da qual também fazem parte livros como *Frankenstein*, de Mary Shelley, e os trabalhos de Edgar Allan Poe. A própria figura de Drácula é construída sobre os dois alicerces básicos de toda literatura: *eros* e *tânatos* (amor/sexo e morte em grego). Esses elementos são fundamentais para o entendimento de nossa civilização, e a figura do vampiro surge como a síntese deles, permitindo o pleno desfrute do binômio sangue-sexo e respondendo, ainda, ao anseio da imortalidade. Sombra especular de nossos egos, com todos os seus medos e desejos, a figura do vampiro propicia a conjunção das múltiplas facetas de uma personalidade pluripotente em um ser uno e eterno, não mais dividido e fragmentado, não mais perecível ao tempo. Por trabalhar diretamente com pulsões tão básicas e universais, a saga vitoriana de Bram Stocker, narrada com fluidez e suspense constantes, além de agradabilíssima leitura, torna-se uma obra atemporal e de inegável importância.

CAMILO CASTELO BRANCO

★ Lisboa, Portugal, 1825
✞ São Miguel de Seide, Portugal, 1890

Órfão de pai e mãe, foi criado por uma irmã em Trás-os-Montes, em Portugal. Cursou a Academia Politécnica e a Escola Médica, porém desde cedo manifestou sua veia satírica e a tendência para aventuras políticas, literárias e amorosas. Em decorrência dessas, esteve preso por um ano no cárcere da cidade do Porto, onde escreveu *Amor de perdição*, o mais célebre de seus romances. Sua obra narrativa percorre duas direções: a passional, representada pelos romances *Amor de perdição* e *Amor de salvação*, e a satírica, destinada a combater os "desregramentos" que os escritores realistas haviam introduzido em Portugal. Nos romances passionais, prevalece a intriga amorosa, com a apologia do sofrimento, conforme o gosto romântico. Segundo a crítica, o autor depura o romance, eliminando divagações, peripécias e elementos cômicos herdados da tradição.

OBRAS PRINCIPAIS: *Amor de perdição*, 1862; *Amor de salvação*, 1864; *A queda dum anjo*, 1866; *Eusébio Macário*, 1879; *A brasileira de Prazins*, 1882

CAMILO CASTELO BRANCO
por Jane Tutikian

A obra de Camilo Castelo Branco insere-se no segundo e no terceiro Romantismos portugueses, oscilando entre histórias passionais e análise de exacerbado realismo crítico da sociedade. A bibliografia camiliana é muito extensa. Cultivou a poesia lírica e satírica; no teatro, o drama passional, o drama histórico e o teatro de costumes; cultivou a historiografia; a crítica e a história literárias; a polêmica; as memórias; os contos e, sobretudo, as novelas, que revelam sua face mais conhecida e nas quais se desvenda seu projeto romântico.

A fase inicial camiliana revela uma idealização amorosa jogada contra um fundo trágico de impossibilidades sociais, crimes e sacrilégios. Nela também se percebeu o pessimismo e a auto-ironia, ao lado da influência do historicismo e do moralismo de Herculano. É na década de 1850 que coloca o leitor diante de novelas humorísticas, fazendo ver o ridículo, o grotesco, a caricatura, a paródia voltada para a burguesia. É o momento de *Cenas contemporâneas* (1855), *A filha do arcediago* (1856), *A neta do arcediago* (1857).

A produção do início dos anos 1860, culminando com *Amor de perdição*, revela a fase de maturidade da sua obra. A novela típica de Camilo é a novela dos grandes sofredores do amor. A título de exemplificação, salienta-se *Amor de salvação*, um drama moral de rara intensidade, desenvolvido sobre o conflito entre o amor e a idéia de pecado. Como a oscilação entre duas posturas diante do fazer literário marca sua obra, à tendência passional sucede a satírica, em que o adultério ou a sedução são colocados com tal ironia que são reduzidos, por vezes, a casos de anedotários picantes e caricaturas de todas as espécies. Há, entretanto, o humorismo puro, sutil, intelectual, como em *A queda de um anjo* (1866), que satiriza a oratória regeneradora e a indiferença do governo aos grandes problemas da maioria.

É em 1875 que aparecem as *Novelas do Minho*, uma série de obras-primas que assinala a transformação na maneira de Camilo construir a ficção novelesca. Sua obra ganha em sobriedade de temas, de situações, e em observação mais aguda do mundo real. O realismo camiliano surge aperfeiçoado em *Maria Moisés* (1876), quadro de horror e piedade, em que tudo é verídico, das personagens à linguagem.

Em *Eusébio Macário* e *A corja* (1880), Camilo desenha a caricatura do romance realista. Entretanto, abandonada a "brincadeira", como o autor considerava essas obras, retorna aos seus temas e situações prediletas em *A brasileira de Prazins*, porém a feição realista mostra-se irreversível, concedendo-lhe um lugar especial na história da literatura portuguesa.

Carlos FUENTES

★Cidade do Panamá, Panamá, 1928

Filho de diplomata, morou em diversos países da América e da Europa. Estudou Direito, no México, e cursou o Instituto de Estudos Internacionais, em Genebra, vindo a exercer cargos administrativos e diplomáticos. Escreveu artigos para periódicos e foi um dos fundadores da *Revista Mexicana de Literatura.* Além da avançada técnica narrativa, inspirada em Joyce e Faulkner, Fuentes criou uma linguagem requintada, próxima ao estilo barroco. Nos contos de caráter fantástico, tentou expressar o fluir da consciência. Em sua obra, Carlos Fuentes representa, com aguda percepção psicológica e espírito crítico, a essência da sociedade mexicana e sua identidade peculiar. Considerado um dos maiores nomes da moderna literatura hispano-americana, recebeu do governo espanhol o Prêmio Cervantes em 1988.

Obras principais: *A região mais transparente*, 1958; *A morte de Artemio Cruz*, 1962; *Aura*, 1962; *Terra nostra*, 1975; *Gringo velho*, 1985; *Cristóvão Nonato*, 1987; *A laranjeira*, 1993; *A fronteira de cristal*, 1995; *A cadeira da águia*, 2003

Carlos Fuentes

por Carlos Rizzon

Carlos Fuentes reúne a sua produção (os livros já escritos, os que estão em processo e os que ainda serão imaginados) em uma única obra mais ampla: *A idade do tempo.* Com isso, situa o tempo, eixo de toda a sua narrativa, na história do México. Assim reconfigura o espaço da representação literária, pois, ao retomar o passado, produz outros sentidos através do desdobramento de relações muitas vezes ignoradas por registros históricos. Obras como *A fronteira de cristal*, *A laranjeira* e *A morte de Artemio Cruz* estão inseridas nesse processo criativo.

Desse modo, recompondo o passado através da imaginação no presente, Carlos Fuentes faz a projeção do futuro a partir do desejo de hoje, incorporando em sua narrativa diferentes tempos da história, sendo a linearidade apenas uma das possibilidades. Porém, é comum passado, presente e futuro estarem imbricados em circularidades que resgatam com a imaginação e a linguagem uma memória pouco falada e muito esquecida.

Em sua obra, Carlos Fuentes percorre tempos e espaços através de uma escritura que traduz uma cultura mestiça construída por vertentes americanas e européias. No entrelaçamento da pluralidade dos mundos, produz um diálogo entre literatura e história. Ao aproximar esses diferentes campos, ele os redimensiona, criando outros sentidos de interpretação através de um movimento interdisciplinar, estabelecendo o trânsito entre os discursos em um espaço fronteiriço que se abre à diversidade e à alteridade. Dessa maneira, temas variados (como as conversações de Hernan Cortez e Montezuma por meio de traduções da índia Malinche, conhecedora da cultura asteca e da língua espanhola; ou a migração de latino-americanos que cruzam a fronteira entre o México e o seu vizinho do norte, atravessando desertos antes ocupados por antigos mexicanos, colonizado por espanhóis e invadido pelos Estados Unidos) estão inseridos nesse processo criativo.

Na produção de Carlos Fuentes, além de referências a personagens e acontecimentos históricos, estão presentes elementos míticos e concepções que alimentaram os rituais de povos préhispânicos e que fazem parte de uma tradição recriada nas narrativas da vida contemporânea, e que Carlos Fuentes consegue captar e dramatizar na sua literatura. Nela, futuro e passado estão presentes agora, no momento em que se inventa o desejo e no momento em que a memória imagina. Cada instante é constantemente reinventado, conjugando tempos em palavras múltiplas que narram memórias e desejos entretecidos em relações verbais e imaginárias com a história.

Charles DICKENS

☆ Portsmouth, Inglaterra, 1812
✝ Rochester, Inglaterra, 1870

Dickens cresceu entregue à leitura dos romances de Defoe, Fielding, Cervantes e outros, sendo também um apaixonado pela arte dramática. Seu pai, funcionário de escritório da Marinha, foi preso por dívidas acumuladas, e Charles precisou empregar-se aos doze anos, em Londres, numa fábrica de graxa para sapatos, ficando separado de sua família, que foi, junto com o pai preso, para Chatham. Mais tarde, estudou estenografia e empregou-se como repórter do Parlamento inglês, iniciando-se, assim, numa bem-sucedida carreira de jornalista e editor. É considerado o mais típico escritor da Inglaterra vitoriana por ter criado uma prosa original, fixando no texto literário as injustiças das instituições da época, principalmente no que se refere ao tratamento às crianças. Como jornalista, lutou por reformas nas escolas. Sua obra constitui um vasto painel melodramático da Inglaterra industrial das décadas de 1830-1850. Publicava seus romances primeiramente em fascículos e sempre obteve sucesso imediato, desde os primeiros textos. De fundo autobiográfico, *David Copperfield* é considerada sua obra-prima. Nela, Dickens cria tipos e incidentes caricatos, articulados em um enredo intrincado, que se resolve através de coincidências fantásticas. Seu tema dominante é o drama da pobreza e da injustiça social.

Obras principais: *As aventuras do Sr. Pickwick*, 1836-1837; *Oliver Twist*, 1837-1839; *Conto de Natal*, 1843; *David Copperfield*, 1849-1850; *Casa soturna*, 1852-1853; *Hard Times*, 1854; *Conto de duas cidades*, 1859; *Grandes esperanças*, 1860-1861

Charles Dickens

por Beatriz Viégas-Faria

Dickens é autor freqüentemente levado aos palcos e às telas. Isso acontece porque sua prosa é carregada de diálogos, cuja linguagem falada das diferentes classes sociais da Inglaterra vitoriana encontram registro escrito – ele começou como estenógrafo sua precoce carreira de jornalista e editor. Dizia-se que tinha "ouvido" para a conversação das pessoas. Como jornalista e editor, Dickens publicava seus textos ficcionais em fascículos mensais (ou em periódicos, ou em folhas avulsas), o que lhe conferiu experiência em preparar "ganchos" entre um capítulo e outro de seus textos para manter o interesse de seu público leitor. Os fascículos reunidos eram depois publicados em forma de livro. Tanto em fascículos quanto em livros, seus textos eram sucessos de vendas. Além disso, o autor também fez muito dinheiro em vida ao apresentar-se inúmeras vezes em sessões públicas de leitura de passagens de sua obra ficcional – ficou famoso por entregar-se a essas leituras freqüentes com tal vigor e agitação que por vezes chegava a desmaiar. Credita-se sua morte antes dos 60 anos a esse desgaste físico e emocional.

As personagens de Dickens encarnam ou as qualidades ou os defeitos humanos e tendem a ser muito bondosas ou muito cruéis. No entanto, há críticos que não aceitam tachá-las de caricaturais, argumentando que o autor as caracteriza com tal riqueza de detalhes que elas servem, na verdade, para fazer a sátira da sociedade vitoriana por meio do grotesco. Em *Grandes esperanças*, o protagonista descreve um percurso de vida que serve para demonstrar uma crença de Dickens: dinheiro, posição social e erudição são menos importantes do que integridade moral, bons sentimentos e lealdade. O autor desvincula caráter de *status* social, indo contra uma pressuposição da época. Crime e justiça são temas da obra, sendo que o sistema judiciário vigente é questionado. As figuras parentais, assim como as outras personagens de *Grandes esperanças*, são duas e têm, uma na outra, o seu duplo. Uma mulher idosa, solteira, que foi abandonada pelo noivo, cria uma menina para ser uma destruidora de corações masculinos. Um homem condenado pela justiça ajuda financeiramente um rapaz para que ele possa realizar seus sonhos, suas "grandes esperanças" para o futuro. Essa fórmula estrutural já havia sido utilizada em *David Copperfield*, em que duas figuras maternas também demonstram uma tese dickensiana: mães amorosas mas severas produzem pessoas boas, enquanto mães excessivamente amorosas e complacentes produzem filhos cruéis.

Sua obra caracteriza-se pela complexidade estrutural. Os enredos apresentam coincidências e complicadas teias de relações entre as pessoas. A evolução da história sempre é altamente dramática, e Dickens faz uso do cenário, das condições climáticas, das forças da natureza, para construir a atmosfera que vai envolver as personagens e marcar a ação na narrativa de cunho realista. Ítalo Calvino (em *Por que ler os clássicos*) refere *Nosso amigo mútuo* (1864-1865) como obra-prima de Dickens. Já Harold Bloom (em *O cânone ocidental* e em *Como e por que ler*, respectivamente) refere *Casa soturna* como o grande título desse autor e analisa *Grandes esperanças.*

Charlotte BRONTË

★ Thornton, Inglaterra, 1816
✝ Haworth, Inglaterra, 1855

Filha de um pastor metodista e órfã de mãe, viveu desde a infância em um ambiente desolado, o do presbitério de Haworth, Yorkshire, na Inglaterra. A infância triste e reprimida marcou sua formação, ditando a temática de sua obra literária. Foi educada em uma rigorosa instituição vitoriana, cujos métodos desumanos de disciplina denunciou em *Jane Eyre*, o mais célebre de seus quatro romances. Nele combinam-se os temas amorosos e a sátira engenhosa, fórmula criada para entreter e impressionar o leitor. Em sua obra, são comuns as mulheres em conflito com seus desejos e sua condição social. As personagens expõem no texto caracteres pessoais marcados pela franqueza e pelo ardor. Com isso, Charlotte Brontë dá início a uma nova etapa no romance do século XIX.

Obra principal: *Jane Eyre*, 1847

Charlotte Brontë

por Lélia Almeida

Em seu histórico ensaio sobre a necessidade de as mulheres terem espaço e dinheiro para poder escrever, *Um teto todo seu*, de 1928, Virginia Woolf se perguntava por que não recebíamos nenhum tipo de patrimônio de nossas pobres mães, fosse ele simbólico ou material. A nossa orfandade literária, que nos impede de crescer confiantes como artistas e intelectuais, tem determinado um destino dramático para todas as mulheres que quiseram escrever. Algumas autoras, no entanto, foram fundamentais ao construir personagens femininos questionadores do *status quo*, que se caracterizaram como protagonistas do próprio destino.

Em 1847, Charlotte Brontë dá voz à pequena Jane Eyre, que nos conta de maneira inovadora as misérias de sua breve existência. Com Jane Eyre e outras protagonistas fundamentais da literatura de autoria feminina do século XIX, deixamos então de ser órfãs e passamos a ter, finalmente, um começo, um ponto de partida: uma autora e uma menina que nos contam sobre a precariedade do destino das mulheres desamparadas pela custódia paterna e que têm, desde muito cedo, de brigar pela própria vida.

Nesse *bildungsroman*, a protagonista tem um caminho a percorrer, um caminho que a leva a um conhecimento profundo sobre si mesma e seus desejos mais secretos. Em Gateshead, a pobre menina é hostilizada pela tia, sra. Reed, e enfrenta inúmeras humilhações do primogênito John Reed e de suas irmãs, Georgiana e Eliza. A resposta colérica e a reação inconformada da pequena Jane aos maus-tratos e injustiças levam-na a responder de maneira tida como inadequada ao que se espera de uma menina em sua situação. Confunde-se, assim, a condição material de orfandade, desamparo e abandono da menina às características de um péssimo caráter, além da feiúra e inadequações de toda ordem.

Os episódios de hostilidade entre a pequena órfã e a família fazem com que a sra. Reed a envie interna à Loowod, onde Jane Eyre vai realizar a sua educação formal, saindo de lá professora e independente. Se, em Gateshead, a precariedade de sua situação se revelava através da solidão afetiva, tendo somente a consideração da boa Bessie, em Loowod, a precariedade material, a fome, o frio e a solidão dão a medida das enormes necessidades daquelas moças, destituídas do apoio paterno e, portanto, de muitas coisas que somente o patrimônio paterno poderia suprir na época.

Os jogos especulares entre Jane Eyre e outras figuras femininas constituem-se como fundamentais em todos os ambientes por onde ela passa: em Gateshead, as figuras de Bessie e da sra. Reed e suas filhas constituem-se como pólos afirmativos e negativos, modelos a serem seguidos ou rejeitados de comportamento e conduta. O mesmo ocorre em Loowod, onde Jane Eyre terá nos cuidados de srta. Temple e Helen Burns a contrapartida das exigências e dos maus-tratos e humilhações do sr. Brocklehurst.

Porém, é na misteriosa Thornfield, propriedade do instigante sr. Edward Fairfax Rochester, e junto ao carinho da sra.

Fairfax, onde a protagonista vai trabalhar como governanta da pequena Adèle Varens, que Jane Eyre, atormentada pelos fantasmas das moças de boas famílias como Blanche Ingram, vai florescer e amadurecer. O romance entre o patrão e a governanta é inevitável, mas o casamento entre eles é impossível de ser realizado devido à aparição da esposa de Rochester, a impressionante figura de Bertha Mason Rochester, uma louca violenta e furiosa, encerrada no sótão de Thornfield.

Figura metafórica da maior importância e significação para as investigadoras feministas da literatura de autoria feminina do século XIX, a louca encerrada no sótão representaria um duplo da heroína do romance do século XIX, atualizando, a partir de uma gama de sentimentos tidos como inadequados – sentimentos de rebeldia, insatisfações, discordância aos padrões estabelecidos –, os verdadeiros e inconfessáveis sentimentos e desejos dessas meninas bem-comportadas. O encontro com as mulheres de sua família de origem em Marsh End, Diana e Mary, e a convivência com St. John Rivers aparecem como a etapa final na trajetória de Jane Eyre, quando esta, agora, financeiramente autônoma e bem-amada, poderá então escolher voltar para Thornfield em busca de seu amor.

A pequena órfã Jane Eyre, conduzida pela mão firme da corajosa Charlotte Brontë, inaugurou, sem dúvida, caminhos inovadores para as protagonistas femininas.

Choderlos de LACLOS

★ Amiens, França, 1741
✝ Tarento, Itália, 1803

Militar, integrante do Corpo Real de Artilharia, abandonou-o para se dedicar à literatura. Ingressou na política e, durante a Revolução Francesa, trabalhou para o duque de Orleans, futuro rei Felipe I, integrando o clube dos jacobinos. Retornou ao exército em 1792, chegando ao posto de general sob Napoleão. Observador penetrante dos costumes de sua época, projetou sua experiência no livro *As ligações perigosas*, que obteve sucesso imediato, embora provocasse escândalo por narrar a crônica dos costumes eróticos do século XVIII. O livro é composto como uma troca de cartas entre os personagens centrais, que se comprazem com a desgraça de seus amantes. Obra-prima do maquiavelismo erótico, é um retrato psicológico da aristocracia decadente antes da Revolução Francesa. No âmbito da técnica epistolar, o romance é um clássico da literatura ocidental.

Obra principal: *As ligações perigosas*, 1782

Choderlos de Laclos
por Vitor Necchi

As ligações perigosas, de Choderlos de Laclos, é o típico romance que faz o retrato dos costumes de uma época. Isso, no entanto, não transformou o livro em uma obra datada, graças à intensidade da escrita e ao vigor da história. Ele engendra um registro arguto dos costumes que caracterizavam a época em que foi escrito: o período anterior à Revolução Francesa (1789), movimento que rompeu com o absolutismo e os desmandos da monarquia. Naquela época, o Iluminismo proclamava a liberdade. Era um mundo em transição, em que a burguesia ganhava espaço, e a nobreza via seu poder se esvaziar. Até então, a aristocracia vivia indiferente aos problemas que assolavam a população. Numa combinação de hedonismo e individualismo, ocupava o tempo com amenidades e liberdades. Os nobres libertinos não tinham pudores ou pruridos, e nada poderia impedir o prazer dos sujeitos que orbitavam na corte.

Nesse ambiente social de rupturas e transformações, os romances filosóficos e libertinos estavam em voga na literatura. As obras libertinas, em particular, funcionavam como uma espécie de recurso de libertação ideológica no início do século XVII, embora, nas décadas seguintes, tenham adquirido ares de imoralidade. *As ligações perigosas* é um exemplo dessa literatura. Seus personagens retratam – e, ao mesmo tempo, criticam – a nobreza francesa a partir de uma narrativa epistolar, ou seja, contada por meio de cartas, técnica que sugere um maior realismo. Por meio da troca de correspondências, o leitor desvenda os ardis empreendidos para a satisfação de um capricho da marquesa de Merteuil. Ela pede que o visconde de Valmont – seu antigo amante – conquiste Cecile de Volanges, moça casta que estudava em um convento. Dessa forma, a inescrupulosa personagem almejava se vingar de Bastide, ex-amante que a havia deixado. Como Bastide pretendia se casar com a virtuosa Cecile, o defloramento da moça de quinze anos seria uma vingança perfeita para a marquesa. Valmont recusa a empreitada, por se tratar de objetivo muito fácil, que pouco demandaria de seu potencial.

No desenrolar da trama, Valmont decide conquistar a casada, fiel e religiosa madame de Tourvel, como se ela fosse um troféu, graças à dificuldade em seduzi-la; porém, contrariando sua pulsão libertina, ele se descobre apaixonado pela aristocrata de moral rígida. Tentando malograr as investidas do sedutor, a mãe de Cecile escrevia cartas para Tourvel, a fim de adverti-la da má reputação do visconde. Sabedor das missivas que o denunciavam, Valmont muda de idéia, e a sedução de Cecile adquire um sentido duplo: além de vingar a marquesa de Merteuil, funciona como uma desforra para ele. A história adquire novo rumo quando o permanente exercício de sedução travado entre Valmont e Merteuil se transforma em uma declaração de guerra, que termina por conduzir à derrocada moral ou à morte de quase todos os personagens.

Clarice LISPECTOR

★Tchetchelnik, Ucrânia, 1925
✝ Rio de Janeiro, Brasil, 1977

Nascida na Ucrânia, mudou-se cedo, com a família, para o Brasil. Viveu sua infância em Recife, transferindo-se para o Rio de Janeiro em 1937. Cursou Direito e estreou na literatura com o romance *Perto do coração selvagem*, obra que foi bem-acolhida pela crítica e que lhe valeu o Prêmio Graça Aranha. Em 1944, viajou para Nápoles, onde serviu em um hospital da Força Expedicionária Brasileira. De volta ao Brasil, publicou *O lustre*. Viveu na Suíça e nos Estados Unidos, vindo a fixar-se, depois, no Rio de Janeiro. Sua obra expressa uma visão existencialista da vida humana, versada em vocabulário simples, com uma estrutura frasal elíptica e complexa. Sua ficção transcende o tempo e o espaço, abordando situações-limite em que as personagens expõem suas paixões e seus estados de alma. Para isso, a escritora serviu-se da análise psicológica e do monólogo interior. É considerada uma das mais importantes escritoras da literatura brasileira.

Obras principais: *Perto do coração selvagem*, 1944; *O lustre*, 1946; *A cidade sitiada*, 1949; *Laços de família*, 1960; *A legião estrangeira*, 1964; *A paixão segundo GH*, 1964; *A hora da estrela*, 1977

Clarice Lispector
por Rita Terezinha Schmidt

Desde a publicação de seu primeiro romance, *Perto do coração selvagem*, Lispector se tornou, no elenco de escritoras brasileiras, a que mais tem suscitado o interesse dos críticos e dos estudiosos de literatura brasileira. E, muito embora a fortuna crítica em torno de sua obra tenha se avolumado significativamente nas últimas duas décadas, tanto no país quanto no exterior, há um sentimento compartilhado por seus críticos de que é uma obra complexa, multiforme e desconcertante e que, por isso mesmo, está sempre a provocar novas leituras e a desafiar tentativas de classificá-la ou enquadrá-la nesse ou naquele paradigma interpretativo.

A crítica, a começar pelo posicionamento de Antônio Candido, tem sido unânime em reconhecer o caráter renovador da obra de Lispector no contexto da literatura brasileira do século XX, fato que a coloca lado a lado com João Guimarães Rosa, particularmente no que se refere à desarticulação de esquemas de valores expressionais cativos da referencialidade, então dominantes na ficção brasileira. A par desse contexto de heranças, afinidades e inovação que pautam a noção de evolução da literatura brasileira, pode-se afirmar que, no caso de Lispector, há uma convergência tanto de estratégias discursivas quanto de recursos formais que ampliam sobremaneira o lastro ficcional, de modo a articular um imaginário cultural que, muito embora se alimente do local/nacional, não é irredutível a ele.

Em outras palavras, é uma obra que não só se insere dialogicamente no contexto da tradição literária do Ocidente, mas também problematiza, pelo viés filosófico, questões muito caras a ela, como a relação entre a literatura e a vida, a representação e a subjetividade, os valores sociais e seus cerceamentos, o desejo e a busca de liberdade. No cerne dessas questões, reina soberana a linguagem, em sua relação peculiar com o saber (epistemologia) e o ser (ontologia), linguagem essa trabalhada em uma escritura de ilusória facilidade, que desloca a sintaxe e a semântica de seus usos convencionais para gerar um discurso narrativo prenhe de alusões e ambigüidades, tensões e distensões. No movimento dessa escritura, flagra-se a consciência curiosa em captar o seu processo e, assim, compreender algo de sua natureza.

Em linhas gerais, pode-se delinear quatro grandes eixos em torno dos quais a obra de Clarice Lispector engendra múltiplos graus de significação: 1) a crítica social a partir de núcleos de representação centrados, majoritariamente, na trajetória de personagens femininas, mulheres comuns circunscritas por estruturas patriarcais tradicionais que esvaziam a possibilidade de viver em plenitude; 2) a metaficcionalidade, presente num modo narrativo que corrói a falácia do realismo ingênuo para dramatizar os limites da ficção e o próprio sentido da literatura em sua relação com a realidade; 3) a perspectiva filosófica através da qual são adensadas e exploradas as relações sujeito/objeto, razão/emoção existência/aparência, imanência/transcendência, natureza/cultura, bem como questões candentes, do ponto de vista teórico-crítico contemporâneo, relativas à identidade, enquanto diferença, e à alteridade; 4) a rede intertextual que sustenta e orquestra a pluralidade de fragmentos, muitas vezes oriundos de outros sistemas de signos que não o literário, e que constitui estruturas formais fluidas, levando as narrativas a projetarem sentidos não da ordem do símbolo, mas da ordem da alegoria benjaminiana.

Daniel DEFOE

✭Londres, Inglaterra, 1660
✞ Londres, Inglaterra, 1731

Descendente de holandeses, estudou em uma escola para protestantes ingleses não-anglicanos. Mais tarde, alistou-se no exército do duque de Monmouth, que pretendia depor o rei Jaime II. Derrotado o duque, Defoe passou a servir-se da palavra escrita como arma de combate. Exerceu cargos no governo, viajou a Portugal e Espanha e dedicou-se a escrever e publicar ensaios políticos. A instabilidade dos governantes determinou mudanças na situação pessoal e profissional do escritor. Sempre contrário ao anglicanismo, sofreu reveses e benesses, alternando cargos lucrativos, humilhações públicas e prisão. Sua obra ficcional trata questões importantes à época, como a bondade natural do homem corrompida pela civilização, tema central de *Robinson Crusoé*, depois retomado em *Moll Flanders*. Essas duas obras continuam suscitando o interesse dos leitores e da crítica, servindo de argumento para o cinema norte-americano.

Obras principais: *Robinson Crusoé*, 1719-1720; *Moll Flanders*, 1722; *Um diário do ano da peste*, 1722

Daniel Defoe

por Maria Helena Martins

Não é preciso ser conhecedor de literatura para saber que o mais importante na leitura de um romance está no fato de ele prender nossa atenção, fazer com que se queira ler mais. O autor tem de criar suspense, despertar e manter nossa curiosidade, romper expectativas, deixando-nos presos à sua história. Qualquer contador de causos sabe disso intuitivamente. Imagine-se o que pode fazer quem também domine a palavra escrita, conheça meandros da alma humana, seus ditos e interditos, feitos e fantasias. Quem entre na pele de aventureiros e heróis, decentes e devassos... Pois Defoe literalmente *tira de letra* com facilidade camaleônica. Ora envolve o leitor com suas personagens e peripécias, ora escapa com elas por desvãos inusitados, deixando o leitor surpreso e desorientado, como quem é perseguido por trilhas ou ruelas estranhas.

Seu livro mais conhecido é *Robinson Crusoé,* porém *Moll Flanders* é emblemático de uma sociedade plena de falsidades, que encobre perversões e precariedades. Tratava da Inglaterra do século XVIII, mas percebia nela traços que persistem em nossos dias, em nossa realidade. Já no prefácio, ao antecipar seu relato da "vida amorosa" de sua protagonista, Defoe revela que toma "todo o cuidado" para sua história não provocar "idéias impudicas nem obscenas", com "pormenores mais corruptos de sua vida". Contudo, isso atiça a curiosidade para o oposto do que estaria propondo e, decididamente, fisga o leitor para a leitura do texto. Segundo ele:

(...) para contar uma vida de pecado e arrependimento é absolutamente necessário contar a parte pecaminosa com toda a verdade possível, para realçar e embelezar a parte do arrependimento, que é, sem dúvida, a melhor e a mais radiosa, se for contada com igual entusiasmo e realidade.

Insinua-se não ser possível relatar a parte do arrependimento com tanta realidade, tanto esplendor e tanta beleza como a pecaminosa. Se há alguma verdade nessa insinuação, seja-me permitido dizer que tal se verifica por não haver o mesmo gosto e satisfação na leitura e a diferença existir, deveras, mais no deleite e prazer do leitor que no valor real do assunto.

Mas, como este livro se destina, sobretudo, àqueles que o saibam ler e tirar dele o proveito que se recomenda ao longo da história, espera-se que tais leitores apreciem mais a pertinência que a narrativa, a moral que a ficção, o objetivo do escritor que a biografia da pessoa biografada.

Então, nada mais a recomendar do que uma boa leitura!

D. H. LAWRENCE

✶ Eastwood, Inglaterra, 1885
✝ Vance, França, 1930

Filho de um mineiro de carvão, viveu a infância e a adolescência na região natal, onde ambienta algumas narrativas. Abandonou sua cidade em 1908, passando a viajar pela Europa, Austrália e América do Norte. Tornou-se conhecido a partir da publicação de *Filhos e amantes.* A tese de que os valores da civilização ocidental subjugavam os instintos vitais do ser humano foi desenvolvida em ensaios e romances, sobretudo em *O amante de Lady Chatterley* e *Mulheres apaixonadas.* Lawrence freqüentou o grupo de intelectuais liderados por Katherine Mansfield, John Middleton Murry e Bertrand Russell. O sentido poético e simbólico que percebia nas coisas levou-o a representar a realidade da existência individual e das relações humanas de modo original, muitas vezes chocante pela violência e pelas descrições do amor físico. É considerado hoje um dos romancistas mais representativos da literatura de língua inglesa.

Obras principais: *Filhos e amantes*, 1913; *O oficial prussiano e outras histórias*, 1914; *Mulheres apaixonadas*, 1920; *O amante de Lady Chatterley*, 1928

D. H. Lawrence

por Léa Masina

Quando de sua publicação, em 1928, o romance *O amante de Lady Chatterley* causou furor na Inglaterra pós-vitoriana, rígida e repressiva com relação aos costumes sociais e ao sexo. Em razão disso, David Herbert Lawrence viu-se obrigado a publicar seu romance, pela primeira vez, na França, eis que os editores ingleses tardaram a arriscar-se nessa empreitada. Ainda assim, na Inglaterra, o livro foi considerado pornográfico, e seu autor foi indiciado em um processo sob a acusação de divulgar obscenidades. E, como o leitor de hoje poderá constatar, essas consistiam na descrição de cenas eróticas entre uma mulher nobre, Lady Chatterley, e Mellors, o guarda-caças de seu marido.

É possível que o amor entre uma aristocrata e um pobre empregado, que sequer sabia falar um bom inglês, servindo-se com freqüência do dialeto dos mineiros da região, tenha motivado a indignação de uma sociedade conservadora e esnobe. Além disso, a explicitação do sexo e do desejo, na perspectiva do homem e da mulher, buliu com valores consagrados. Na verdade, Lawrence escreveu um romance de tese, apresentando o instinto sexual com fervor religioso acima da existência medíocre da civilização e dos costumes das sociedades européias no período posterior à Primeira Guerra Mundial. A visão do autor provinha do gosto pelo orientalismo, pelas culturas exóticas, que cultivara desde cedo. Seu livro busca provar que o sexo é a forma de humanizar os homens, restaurando-lhes a verdadeira natureza.

De qualquer modo, o leitor de hoje encontra, nesse romance, mais do que o caso de amor entre Constance e Mellors contraposto à figura nostálgica e melancólica de Lord Clifford, jovem intelectual cortejado, mutilado pela guerra, que o condenara a uma cadeira de rodas. Frente à impotência intelectualizada de Clifford, o romancista obriga o leitor a refletir sobre o poder da palavra, do discurso e da retórica, que entende anulados pela força do desejo. Além disso, construindo metáforas românticas e desfazendo clichês, Lawrence retrata a decadência da aristocracia rural inglesa, ainda voltada para antigos valores, enquanto suas grandes propriedades arruinavam-se em decorrência da guerra. O livro também registra uma crise social inaudita, quando os mineiros desempregados e famintos tornam-se uma ameaça aos lordes e barões ingleses, proprietários das minas de carvão. No entanto, será na construção poética das imagens do amor e do desejo, associados à natureza, que o autor alcançará os pontos mais altos de sua narrativa.

Domingo Faustino SARMIENTO

⋆ San Juan, Argentina, 1811
✝ Assunção, Paraguai, 1888

Autodidata, muito cedo dedicou-se ao ensino em sua cidade natal, seguindo, mais tarde, a carreira política como legislador provincial. Em 1831, emigrou para o Chile, onde trabalhou como professor e administrador de minas. De volta a San Juan, exerceu o magistério e o jornalismo. Por combater a ditadura de Rosas, foi preso e condenado à morte, fugindo para o Chile. Nesse país, sua atividade foi marcante, tanto na educação, ao organizar a primeira escola de magistério da América do Sul, quanto no jornalismo, ao publicar artigos nos jornais *Mercurio*, de Valparaíso, e *El Progreso*, de Santiago.

As obras dessa época, *Minha defesa* e *Recordações da província*, constituem as primeiras manifestações importantes da narrativa argentina. Ainda no Chile, Sarmiento escreveu sua obra fundamental, publicada em 1845, *Facundo – civilização e barbárie*, em que, sob a forma da biografia romanceada de Facundo Quiroga, tirânico caudilho do governo Rosas, denuncia a ditadura. Ao retornar à Argentina, participou, como correspondente, da guerra que derrotou Rosas em 1852. Chegou a ser deputado no congresso constituinte de Santa Fé, em 1860, e governador de San Juan e, dois anos mais tarde, desempenhou o cargo de ministro plenipotenciário no Chile, no Peru e nos Estados Unidos.

Foi surpreendido ao ser – não só por seu prestígio, mas também por necessidades de acordos partidários – nomeado como o primeiro presidente civil da República Argentina. Durante sua presidência (1868-1874), impulsionou a educação e a cultura de seu povo, assim como a divulgação de idéias liberais, centradas nos princípios democráticos, as liberdades civis e a oposição aos regimes ditatoriais. Trabalhou pela expansão da rede ferroviária, facilitou a imigração de europeus e fundou uma escola de magistério, uma escola naval e diversos colégios militares e bibliotecas. Ao terminar seu governo, Sarmiento continuou na política como senador (1875), como ministro do Interior (1879) e como superintendente geral das escolas (1881). Morreu no Paraguai em 1888.

Obras principais: *Minha defesa*, 1843; *Facundo – civilização e barbárie*, 1845; *Recordações da província*, 1850; *Campanha do exército grande*, 1847; *Conflitos e harmonias das raças na América*, 1883; *A vida de Dominguito*, 1885

Domingo Faustino Sarmiento

por Miriam L. Volpe

Domingo Faustino Sarmiento ao ser, ao mesmo tempo, um político ilustre, um pedagogo eminente para sua época, um escritor pródigo e um orador destacado, pode ser considerado um dos intelectuais latino-americanos mais importantes do século XIX, que conseguiu desenvolver plenamente suas vocações e convertê-las em realizações concretas, motivo pelo qual sua memória é guardada com respeito. Seu projeto primordial era o de alcançar uma unidade e uma organização nacional que transformassem a Argentina em uma nação progressista e civilizada. Chegou a ser considerado "o pai da argentinidade".

Em seu pensamento, podem ser detectadas a existência das três correntes da história da cultura que percorreram os séculos XVIII e XIX: a iluminista, ou "utópica", que compreende um primeiro estágio, em que defende o valor da educação, das instituições republicanas, do sistema representativo, da liberdade de imprensa, do sentido das garantias individuais e da virtude cívica e política; a romântica, derivada de um posterior romantismo social e seu nacionalismo; a positivista ligeiramente peculiar, representada por seu sentido prático e sua força para levar à materialidade a busca pelo progresso.

Quanto a sua produção literária, Sarmiento é apontado como um dos maiores expoentes do Romantismo argentino, devido ao seu papel relevante na chamada Geração de 1837. Porém, em seus escritos, vêem-se influências neoclássicas.

Nos últimos anos de sua vida, aproximou-se do Positivismo, como bem atesta seu último e mais polêmico livro: *Conflitos e harmonias das raças na América*. Profundamente influenciado pelo seu trabalho jornalístico e pela premência em levar à realidade seus projetos de desenvolvimento da Argentina, seu estilo aparece muitas vezes fragmentado, com longas digressões e alguns excessos materialistas. As "vidas" constituem uma especialidade de sua literatura: "Gosto da biografia. É a tela mais adequada para estampar as boas idéias", disse. Disso decorre que *Recordações da província* seja considerada sua melhor produção literária.

Facundo – civilização e barbárie é uma de suas obras mais conhecidas e passou a ser um clássico da literatura argentina e hispano-americana em geral. Pode ser considerada um ensaio sociológico romanceado. Nela misturam-se a história, o romance, a política, o poema e o sermão que transmitem suas idéias literárias, sua propaganda política, seus planos de educador, seu conceito histórico. No olhar de Sarmiento, a civilização representa a cidade em toda a sua modernidade, enquanto o campo aparece como reflexo da anarquia e da barbárie. Essa obra chegou a causar grande polêmica ao excluir o gaúcho, habitante dos pampas, de seu projeto civilizatório devido a uma visão certamente eurocentrista. No conjunto de suas obras, as referências e as citações nos informam acerca de sua formação intelectual através de suas confidências sobre autores preferidos e do clima intelectual de seu entorno.

No fim do século XIX, os escritos do cubano José Martí e do uruguaio José Enrique Rodó responderam à proposta de Sarmiento, ou seja, de copiar (linearmente) a cultura norte-americana, da qual era profundo admirador, e "importar" raças européias, mais "aptas" para a civilização e a prosperidade, reivindicando o velho sonho americanista da união de todos os povos "latinos".

José Maria EÇA DE QUEIROZ

✯ Póvoa do Varzim, Portugal, 1845
✞ Paris, França, 1900

Viveu sua infância no interior de Portugal, na casa dos avós maternos. Estudou Direito em Coimbra, onde escreveu e publicou folhetins literários de tendências realistas. Bacharel, mudou-se para Lisboa, onde abriu um escritório de advocacia, exercendo também o jornalismo. Depois de morar em Évora, retorna para a capital, integrando-se ao grupo literário Cenáculo. Em Lisboa, participa das Conferências do Cassino Lisbonense, freqüentando o meio literário no qual pontificavam Antero de Quental e Ramalho Ortigão. Com esse, publicou a novela *O mistério da estrada de Sintra* (1870), além dos artigos intitulados *As farpas* (1871), sátira aos costumes burgueses. Participou intensamente da vida literária de seu tempo, contribuindo para a introdução do Realismo em Portugal. Foi diplomata em Havana, na Inglaterra e em Paris, onde terminou seus dias como cônsul. É considerado o principal romancista português.

Obras principais: *O crime do Padre Amaro*, 1876; *O primo Basílio*, 1878; *Os Maias*, 1880; *A relíquia*, 1887; *A ilustre casa de Ramires*, 1900; *A cidade e as serras*, 1901

Eça de Queiroz
por Luiz Antonio de Assis Brasil

Falar em Eça de Queiroz é dizer Portugal, especialmente aquele Portugal oitocentista, pequeno-burguês, constitucional e conservador. Muito se tem falado na importância da literatura como a melhor forma de conhecimento de determinado universo histórico-cultural. Assim o é; no caso de Eça, porém, não conhecemos apenas aquele Portugal, mas também uma projeção do que deveria ser Portugal. Com ironias de vitríolo, o grande autor nos dá a conhecer um catálogo de imperfeições lusas, consubstanciadas em personagens que, não sendo meros tipos literários, são exemplos de personagens magníficas: a timidez sonhadora e inútil (e transgressora) de Luísa, que trai o marido com o primo Basílio; a circunspecção tola e vazia de um Conselheiro Acácio, do mesmo romance, um homem capaz de discorrer pomposamente sobre as maiores banalidades; a perversão de um Padre Amaro e de um Cônego Dias, clérigos vencidos pela cupidez, homens sem ideal, aproveitadores da situação de desvantagem das paroquianas; a impossibilidade de nobreza pessoal e familiar nos dias cínicos da contemporaneidade, como se vê em *A ilustre casa de Ramires*; o brutal retrato da sociedade lisboeta, eivada de vícios, tal como representada em *Os Maias*; o retrato psicológico mais feliz em toda a literatura portuguesa, aparente na personagem Artur Corvelo, de *A capital*, um homem que não sabe o que fazer com um talento duvidoso e que acaba na mesma miséria de quando estava em Oliveira de Azeméis, antes de tentar a vida em Lisboa; o pândego e bajulador Raposão, nessa obra sempre citada e sempre lida com o maior gosto, por sua atualidade, *A relíquia*.

Se Eça de Queiroz tivesse escrito apenas esses livros, já teria seu nome consagrado, mas sua atuação literária foi muito além, exercendo, com igual competência, o jornalismo, a crítica de literatura, o conto e a pequena novela. Em seu tempo, Eça de Queiroz significou a virada que veio inserir seu país na modernidade que, no caso, significava o Realismo. Foi Eça – na companhia de alguns colegas fiéis de Coimbra – que veio materializar esse movimento transformador. O Realismo de Eça foi importante não apenas no plano das inquietações estéticas. Isso seria diminuí-lo. O Realismo de Eça simbolizou a abertura de novos tempos, alterando a sociedade, reavaliando-a e estabelecendo novos parâmetros de entendimento do próprio conceito de cultura em ação. A imagem que temos de Portugal seria radicalmente diversa, não fosse a obra de Eça de Queiroz. Não é exagero consagrá-lo, portanto, como um dos fundadores de sua pátria.

Edgar Allan POE

✯Boston, EUA, 1809
✞ Baltimore, EUA, 1849

Filho de atores, órfão aos dois anos, foi adotado por um comerciante abastado, de quem recebeu esmerada educação. Matriculou-se na Academia Militar de West Point, de onde foi expulso por indisciplina. A partir de então, passou a viver como nômade, exercendo o jornalismo na Filadélfia. Depois disso, mudou-se para Nova York, onde trabalhou como editor de importantes periódicos. Sua vida pessoal foi marcada pela morbidez e pelo alcoolismo. Além de contos, Poe escreveu poemas e ensaios. Devido à melancolia, ao mistério e às sugestões temáticas, sua obra é considerada simbolista e fantástica. Dentre seus temas, destacam-se as alucinações e a fantasmagoria, as neuroses e as inquietações do homem, o duplo, a introspecção na alma, a morte e a fatalidade. É considerado o precursor do moderno romance de mistério ou policial, além de criador dos contos de efeito. Escritor "maldito", sua obra definiu os rumos da contística contemporânea.

Obras principais: *A queda da casa de Usher*, 1838; *Contos do grotesco e do arabesco*, 1838; *O relato de Arthur Gordon Pym*, 1838; *Assassinatos da rua Morgue*, 1841; *O escaravelho de ouro*, 1843; *O mistério de Marie Roget*, 1842; *O barril de amontillado*, 1846

Edgar Allan Poe
por Patrícia Lessa Flores da Cunha

Edgar Allan Poe, escritor norte-americano, talvez seja, ainda hoje, um dos autores mais lidos e conhecidos fora dos limites geográficos da literatura de seu país. Situado nevralgicamente nos limites de um Romantismo exaurido, que já se mostrava impregnado pela atmosfera mecanicista que floresceria no Realismo da segunda metade do século XIX, Edgar Allan Poe, como personalidade literária, é uma figura intrigante. Mesmo os seus *desafetos* críticos não deixam de lhe reconhecer lances e especulações geniais que, todavia, atribuem quase sempre aos percalços de sua atribulada trajetória de vida pessoal, evitando enquadrá-los como fruto de uma consciência artística superior.

Edgar Allan Poe não é uma unanimidade em termos de crítica. Porém, resta evidente a atuação de um escritor vigoroso e inquietante que, apesar de imperfeições artísticas e técnicas e de uma formação intelectual deficiente, soube atingir e envolver a *intelligentsia* de seu tempo com a força de uma produção literária que segue questionando os caminhos da investigação crítica da atualidade.

A esse respeito, Poe pode ser visto como a figura de transição no panorama da moderna literatura, e não só norte-americana, por ter *descoberto* o seu grande filão temático e expressional, qual seja, o da desintegração da personalidade humana, através da insistência com que aborda, por exemplo, a duplicidade latente no indivíduo, tornando-se assim, a todos os leitores contemporâneos, um escritor potencialmente familiar.

A idéia central do pensamento de Poe, oriunda da noção de brevidade na emoção e na contemplação da beleza, leva-o a compor, por caminhos travessos, o que talvez seja a sua mais permanente contribuição ao pensamento teórico-crítico contemporâneo, a teoria do efeito, que se realiza, por excelência, no domínio do conto, alçado a partir e, sem dúvida, por causa de Poe à condição de gênero da literatura moderna.

A narrativa curta em prosa, aquela que exigiria, no máximo, duas horas de atenta leitura, propicia um vasto campo de produção literária, adequando-se sobremaneira ao exercício dos conceitos de brevidade, totalidade e intensidade que estruturam a teoria do efeito, tornando Poe, desde então, o mais instrumental dos escritores no gênero. Se a popularidade de sua poesia foi considerável – o poema "The Raven" (1845) é exemplo disso –, os contornos do prestígio de sua ficção têm sido maiores e mais abrangentes.

Não é à toa que pode ser considerado como o fundador da moderna narrativa de ficção científica e do conto policial detetivesco, vertentes originárias da publicação de muitos dos seus contos, notadamente a série dos relatos criminosos solucionados por Arsène Dupin e as experiências fantásticas contidas em *A aventura sem par de um certo Hans Pfall* e *Mellonta Tauta*, entre outros.

Ainda chama a atenção, para o sentido de modernidade implícito na proposta narrativa inovadora de Poe, a sua absoluta consciência sobre a importância do leitor – mesmo que anônimo e perdido na multidão dos leitores de um jornal – como elemento receptor e co-criador, em um sentido inegavelmente participativo, da utopia do seu texto poético-ficcional.

Edward Morgan FORSTER

⭑ Londres, Inglaterra, 1879
✝ Coventry, Inglaterra, 1970

Órfão de pai, sua educação foi partilhada pela mãe, aberta e liberal, e pelas tias paternas, de rígida formação protestante. Freqüentou o King's College, de Cambridge, e cedo se dedicou à carreira literária. Com o início da Primeira Guerra Mundial, afastou-se temporariamente da literatura, prestando, durante três anos, serviço civil em Alexandria, no Egito. Nessa época, viajou pela primeira vez à Índia, país que voltaria a visitar em 1921 e inspiraria sua obra de maior sucesso, *Uma passagem para a Índia*. Nela está presente a relação império-colônia-Ocidente-Oriente, abordada a partir da diversidade de perspectivas originárias de tradições, crenças e princípios opostos. Sua outra obra-prima é *Howards End*, uma metáfora sobre o destino da nação inglesa às vésperas da Primeira Guerra Mundial.

Obras principais: *A mais longa jornada*, 1907; *Uma janela para o amor*, 1908; *Howards End*, 1910; *Uma passagem para a Índia*, 1924

Edward Morgan Forster

por Elaine Indrusiak

A obra de Edward Morgan Forster foi profundamente influenciada por fatos de sua biografia, em especial por suas viagens. Seus romances debruçam-se preferencialmente sobre as intrincadas relações humanas em contextos de choque cultural, causados seja por diferenças de nacionalidade ou classe social, seja pelo nascimento de uma mentalidade liberal oposta ao rigor vitoriano ainda persistente em parte da sociedade inglesa no início do século XX.

Freqüentador eventual do famoso grupo de Bloomsbury, Forster aborda a chegada da modernidade sem abrir mão de uma estrutura narrativa tradicional, marcada por narradores oniscientes que se valem da detalhada descrição de cenários e estados de espírito. Apesar desse aparente realismo, Forster flerta com o movimento simbolista ao demonstrar que mesmo a mais cuidadosa descrição não esgota a pluralidade de significados atribuídos a eventos ou coisas pelas diferentes visões de mundo. Tal tendência fica clara, por exemplo, em *Howards End* na forma como as três famílias envolvidas no romance vêem e se relacionam com as casas em que vivem e que freqüentam: para os miseráveis Bast, as moradias retratam a injustiça social e os sonhos de ascensão; para os Wilcox, são meras aquisições que lhes garantem conforto e *status* social; já para as irmãs Schlegel, as residências tornam-se extensão das almas de seus habitantes, guardando profunda identificação com seus valores e sua visão de mundo. De modo similar, *Uma passagem para a Índia* não apenas explora o simbolismo de diversos elementos da cultura indiana, ainda hoje exótica e misteriosa aos olhos do Ocidente, mas também cria seus próprios, sobretudo o eco produzido pelas cavernas de Marabar, que, perturbador e fascinante, interfere diretamente nas vidas e relações dos personagens.

Embora seja inegável o forte pendor político no conjunto da obra de Forster, em especial em seus dois romances principais, a elegância e a fina ironia de suas narrativas conseguem evitar o tom panfletário. Ao focar as demandas sociais em personagens falíveis, complexas e absolutamente verossímeis em sua humanidade, Forster não se deixa levar pelo maniqueísmo fácil das disputas por justiça. O médico Aziz, em *Uma passagem para Índia*, por exemplo, é retratado com riqueza ímpar: indiano, muçulmano, orgulhoso, mas submisso, revoltado e injusto por vezes, dócil e cativante em outras, ele comove o leitor aqui para irritá-lo mais adiante, provando de forma cabal o argumento máximo da obra do escritor, ou seja, pessoas, culturas e países são complexos demais para aventurarmos rotulações, e a justiça deve servir a todos independentemente de simpatias ou identificações pessoais.

Émile ZOLA

★ Paris, França, 1840
✝ Paris, França, 1902

Um dos principais narradores do Naturalismo literário, Émile Zola levou a descrição realista a extremos de crueza, especialmente na denúncia das condições de trabalho da classe operária no século XIX. Educado em Aix-en-Provence, trabalhou na editora Hachette, abandonando o emprego para dedicar-se à literatura. Suas primeiras obras marcaram, desde logo, a transição para o Naturalismo, que se manifestará plenamente em *Thérèse Raquin*. A estética naturalista, inspirada na filosofia positivista e na medicina da época, partia da convicção de que a conduta humana é determinada pela herança genética, pela fisiologia das paixões e pelo ambiente. Consciente da dificuldade de conferir caráter científico a uma obra de ficção, Zola procurou pôr em prática suas concepções, escrevendo ensaios. Foi também um intelectual engajado às causas sociais e artísticas de seu tempo, tendo se manifestado a favor de Alfred Dreyfus, general francês acusado de conspiração no famoso "Caso Dreyfus".

Obras principais: *Thérèse Raquin*, 1867; *A fortuna dos Rougon*, 1871; *O crime do Padre Mouret*, 1875; *A morte de Olivier Bécaille*, 1877; *Naná*, 1880; *Germinal*, 1885

Émile Zola
por Gilda Neves da Silva Bittencourt

Consagrado como o mestre do romance naturalista, Zola interessou-se desde muito cedo pela literatura, dedicando-se inicialmente à poesia, gênero que abandonou posteriormente para seguir a carreira de jornalista, de crítico e de romancista. A fase inicial de sua obra compreende o período de 1864, ano do lançamento de *Contos a Ninon*, quando Zola tinha 24 anos, até 1870, quando, já sob a influência das teorias evolucionistas, deterministas e biológicas que dominavam o pensamento científico da época, inicia a elaboração da série de romances, escritos de 1871 a 1893, sob o título de *Os Rougon-Macquard.* Ainda na primeira fase da obra, no entanto, o autor já se dedicava ao romance naturalista, pondo em prática suas idéias de que o romancista devia adotar a mesma objetividade de um cientista, analisando o comportamento das personagens como algo determinado pela hereditariedade, pelo meio ambiente e pelas pressões do momento. Assim aconteceu em *Thérèse Raquin*, em que o tema do adultério e do triângulo amoroso é apresentado sob um viés cientificista. Thérèse e Laurent, os dois amantes que matam Camille, marido de Thérèse, são mostrados não como seres humanos de carne e osso, mas como organismos de carne, sangue e nervos, que agem levados por seus instintos: Laurent é "sangüíneo" enquanto Thérèse é "nervosa".

Em *Os Rougon-Macquard*, a intenção de Zola foi fugir do romance isolado, sem ligação com outro anterior, e ilustrar suas teorias naturalistas através de uma saga familiar. Na verdade, ele se inspirara em Balzac e aspirava a criar sua própria "comédia humana"; porém, para diferenciar-se do mestre, propôs uma obra científica, rigorosa e metódica, que apresentaria a "História natural de uma família sob o Segundo Império". A série compreende vinte romances autônomos, mas que têm em comum o fato de acompanhar a evolução de cinco gerações de dois ramos de uma vasta família cuja hereditariedade determina uma seqüência de doenças físicas e mentais. Alguns dos livros que se ocupam das gerações da família Rougon-Macquard tiveram grande popularidade e consagraram definitivamente o seu autor. Entre os que mais se destacaram, estão *A taberna* (1877), um estudo sobre o alcoolismo, *Naná*, baseado na prostituição, *Germinal*, um relato sobre as condições em que viviam os mineiros, *A besta humana* (1890), romance que analisa as tendências homicidas, e *O desastre* (1892), relato sobre a queda do Segundo Império. Estes e outros romances de Zola adotam claramente uma postura científica, tornando-se exemplos típicos do romance naturalista. Além disso, exerceram uma grande influência na divulgação e na expansão desse movimento para outros países e continentes, contribuindo decisivamente para a inserção do Naturalismo na história literária mundial.

Emily BRONTË

★ Thornton, Inglaterra, 1818
✝ Haworth, Inglaterra, 1848

Filha do reverendo de Haworth, em uma pequena e isolada vila de Yorkshire, cedo se tornou órfã de mãe, vivendo sob os cuidados de uma tia materna. O isolamento da província agreste de Yorkhire e a severidade paterna marcaram sua infância e adolescência. Desde cedo, com suas irmãs, Charlotte e Anne, exercitou a vocação literária, modo de fugir à atmosfera opressiva da casa paterna. Juntas, escreveram histórias sobre o reino imaginário de Gondal e Angria e também publicaram um livro de poemas. *O morro dos ventos uivantes*, que Emily publicou em 1847 sob o pseudônimo de Ellis Bell, é seu único romance. Sob aparente reconstrução da realidade, sobrepõemse na obra visões fantasmagóricas e imaginadas. Mesmo sem obter o sucesso imediato que tivera sua irmã Charlotte, autora de *Jane Eyre* (1847), *O morro dos ventos uivantes* fez com que Emily Brontë fosse reconhecida como uma das principais escritoras da literatura inglesa.

Obra principal: *O morro dos ventos uivantes*, 1847

Emily Brontë
por Ricardo A. Barberena

Em sua sublimidade cintilante, Emily Brontë tece um *locus* historiográfico, marcado por uma veemência poética e imagética que desestabiliza o equilíbrio narrativo de autores como Charles Dickens e Jane Austen. A pujante evocação sombria na sua obra máxima *O morro dos ventos uivantes* certamente torna-se um *clássico* da literatura inglesa devido a sua estrutura de enredo que intercambia insinuações sobrenaturais, arquétipos trágicos, paisagens psicológicas, intensidades de paixão/fúria. Ao apontar para a inconstância no arcabouço das máscaras sociais, o romance de Brontë instaura a representação de personagens perdidas num indomável vácuo da fantasia e da subjetivação niilista, emoldurando-se uma relação amorosa que remete à completa destruição num byronismo demoníaco: Catherine e Heathcliff deflagram a primeira pulsão vida-morte.

Numa terrível e endemoniada sucessão de casamentos e mortes precoces, *O morro dos ventos uivantes* desvela as tensões sociais que impedem a tradicional união romanesca, alijada dos fortes sopros dos ventos da *anima* e da sombra junguiana. A história é narrada por um personagem nomeado Lockwood, que está alugando uma casa de Heathcliff. Cabe lembrar que a casa, Thrushcross Grange, situa-se muito próxima da *Wuthering Heights* [casa que dá título ao livro]. Quanto à sua força literária, Brontë diferencia-se dos demais escritores do século XIX devido a uma impactante qualidade imaginativa traduzida em uma poética mediatizada por uma ferocidade mórbida (própria do relato policial) e uma pureza essencial (passível da magnitude dos acordes de *Tristão e Isolda*, de Richard Wagner, na belíssima adaptação de *O morro dos ventos uivantes* para o Cinema [1939]).

Em termos resumidos, diríamos inequivocadamente que *O morro dos ventos uivantes* integra um seletíssimo grupo de obras na literatura inglesa, tratando-se de uma paisagem narrativa sinistra e singular que aponta para uma condição-de-amar que mutila a própria vida num dilaceramento da castidade da alteridade. Enquanto transtornada chama de luz e escuridão, a escrita de Brontë descortina uma horripilante e incomensurável identificação feminina alinhada à criatividade anárquica do amor de Catherine por Heathcliff. Esteticamente impactante, Brontë rejeita a tradição do Alto Romantismo através do questionamento da exaltação do desejo masculino como *persona* lírica monolítica e dominante.

Ernest HEMINGWAY

✯ Illinois, EUA, 1899
✞ Idaho, EUA, 1961

Jornalista, participou da Primeira Guerra Mundial, onde foi gravemente ferido. Mais tarde, fixou-se em Paris como correspondente dos jornais da cadeia Hearst. Dedicou-se à ficção, orientado por Gertrude Stein e Ezra Pound. É considerado o mais talentoso dos escritores da chamada "geração perdida". Sua experiência jornalística ajudou-o a desenvolver um estilo direto, de frases curtas, diálogos lacônicos e escassa adjetivação. Acompanhou a Guerra Civil Espanhola e atuou como correspondente e soldado na Segunda Guerra Mundial. Viveu em Cuba e nos Estados Unidos, relatando essas experiências em contos, romances e poemas. Seus heróis são indivíduos viris, que vivem as asperezas da guerra, sempre em conflito com a força da natureza e de seus semelhantes. Tais inclinações correspondiam à fascinação do escritor pela vida ao ar livre, pelas emoções perigosas, por atividades físicas vigorosas, como o boxe, as touradas e a caça a animais selvagens. Recebeu o Prêmio Nobel de Literatura em 1954.

Obras principais: *O sol também se levanta*, 1926; *Adeus às armas*, 1929; *Por quem os sinos dobram*, 1940; *O velho e o mar*, 1952; *As neves do Kilimanjaro*, 1953; *Paris é uma festa*, 1964

Ernest Hemingway

por Alcy Cheuiche

A mais recente obra sobre a vida de Josef Stálin revela que o ditador soviético era admirador de Hemingway. O mesmo acontecia com Fidel Castro, embora o escritor tenha sido a antítese de um comunista. Em lugar de procurar ilações entre esses três personagens, o certo é acreditar no bom gosto literário de Stálin e Fidel, como outros milhões de leitores que continuam fiéis a Ernest Hemingway quase meio século depois de sua morte. A principal razão, além do inegável talento, está numa resposta que o escritor deu a seu amigo Hotchner, autor da biografia *Papa Hemingway*: "Hotch, se você quer ser escritor, precisa viver os seus futuros livros".

Basta passar uma semana de 7 a 14 de julho em Pamplona para encontrar, na sua essência, o cenário de *O sol também se levanta*. É claro que o conhecimento profundo de touradas e toureiros foi fundamental para a redação do seu primeiro romance. Contudo, o que Hemingway viveu e transmite com maestria é principalmente o clima psicológico da chamada "geração perdida" na época seguinte à Segunda Guerra Mundial. Para isso, arriscou sua vida participando do conflito na Itália (gênese do livro *Adeus às armas*) e teve a coragem de abandonar o jornalismo e viver quase na miséria para escrever como profissional (experiência relatada em *Paris é uma festa*).

Interessante, para quem conhece a obra de Hemingway, é verificar como determinados temas chamaram sua atenção ainda na juventude, para depois, com a maturidade, se transformarem em obras-primas. O melhor de todos os exemplos é o livro *O velho e o mar*, que nasceu de uma crônica escrita na costa espanhola, em 1917 (publicada no *Toronto Star*), sobre um peixe tão grande que arrastava o pequeno barco do pescador. Trinta e cinco anos depois, adaptada para Cuba, onde Hemingway aprendeu a conhecer de verdade o mar, os peixes e os velhos pescadores, a novela foi definitiva para a conquista do Prêmio Nobel de Literatura.

Como contista, Ernest Hemingway atinge seu auge em "A feliz curta vida de Francis Maccomber", uma obra-prima adaptada na África. Ali o americano contradiz os críticos que o consideravam superficial. A intensidade do drama psicológico é apresentada em um quadro de tal velocidade, entre os tiros, o cheiro acre e os urros dos leões, que o leitor perde o fôlego, como se realmente estivesse participando da ação. Porém, depois que a poeira volta a se acumular no chão, que o sangue pára de correr, o que sobra em nossa memória é o conflito da alma humana.

Hemingway revelou que os seus romances foram contos que se espicharam muito e mudaram de rótulo. Essa definição é excelente para revelar que o autor não planejava em detalhes a obra que iria escrever. Partia sempre da vivência dos fatos, do conhecimento profundo de todos os seres humanos participantes da trama, fazendo com que coadjuvantes, como Pilar e Pablo de *Por quem os sinos dobram*, se transformem na alma espanhola do livro, sem a qual não teria a mesma verossimilhança.

O suicídio de Hemingway, em 1961, foi o epílogo dramático de quem afirmou: "Um escritor realiza sua obra na solidão. E se for suficientemente bom, deve cada dia enfrentar a eternidade ou a ausência de eternidade".

Ernesto SABATO

★Rojas, Argentina, 1911

Dispondo de sólida formação científica, doutorou-se em Física pela Universidade de La Plata em 1937, aperfeiçoando-se no Laboratório Curie de Paris e no Instituto de Tecnologia de Massachusetts, nos Estados Unidos. De volta à Argentina, lecionou Física na Universidade de La Plata e iniciou-se no Jornalismo com artigos para a revista *Sur* e para o periódico *La Nación.* Foi alto funcionário da Organização das Nações Unidas para a Educação, Ciência e Cultura (UNESCO) a partir de 1947. Dedicando-se quase totalmente à literatura, alcançou fama internacional com o romance *O túnel.* Durante a década de 1960, concentrou-se no estudo das relações entre o escritor e a obra literária, publicando *O escritor e seus fantasmas.* Oponente incansável do peronismo e da ditadura militar, foi o principal autor do informe *Nunca Más,* publicado na Espanha, sobre violações dos direitos humanos na Argentina, pelo qual ganhou o Prêmio Cervantes em 1984.

Obras principais: *O túnel,* 1948; *Sobre heróis e tumbas,* 1961; *O escritor e seus fantasmas,* 1963

Ernesto Sabato

por Ana Mariano

"A razão não serve para a existência", nos diz Ernesto Sabato, "a alma humana, em sua profundidade, *no está para esas cosas*". Por isso, é impossível fugir ao feitiço de Sabato. Em seus romances, densos, cada palavra cumpre com exatidão a difícil missão de descrever o caos, essa perplexidade profunda, desordenada e maravilhosa na qual, como minúsculos planetas solitários, movem-se os homens.

Os personagens de Sabato, nascidos do inconsciente "*que jamás engaña*", são seres de carne e osso e, porque "*el corazón de cualquier mortal es un conjunto de contradicciones*", esses seres de carne e osso são, para o próprio autor, familiares e, ao mesmo tempo, "*tan desconocidos que conseguían aterrarme*".

Sobre heróis e tumbas, considerado por muitos o melhor romance argentino do século XX, consagrou Sabato como escritor universal; no entanto, em *O túnel*, já podemos encontrar o poeta que, como Virgílio, nos guia nos círculos do inferno e, descrevendo uma situação conhecida, um crime passional, aponta para o desconhecido.

O túnel é um romance sobre paixão e ciúme, mas não apenas sobre isso. O amor trágico de um pintor, Juan Pablo, pela única mulher que talvez o tenha entendido; o ciúme que o encerra em seus duplos (o agir e o padecer) são apenas manifestações de algo maior, metafísico, absoluto: a inarredável solidão humana.

Em Sabato, o corte, a ruptura que separou o homem da natureza, da mãe, do paraíso não cessa de doer. Contudo, porque seus personagens são, como nós, humanos, essa dor metafísica se apresenta na forma de paixões e sentimentos. Somos através do corpo e nele sofremos nossa paixão maior: a fome de eternidade, o desejo impossível de sermos plenos.

Fiel ao que pratica em seus romances, no livro de ensaios *O escritor e seus fantasmas*, Sabato questiona por que, como e para que se escrevem ficções. Nesse sentido, nega o culto ao estilo sempre que este venha a afastar o romance da condição humana, aproximando-o à pura abstração. Para ele, portanto, "de qué serviría la novela, la pintura, si no lograra encontrar el sentido profundo de la existencia del hombre?"

Em Sabato, podem-se ler as fontes de Shakespeare, Poe e tantos outros grandes escritores; a física, a filosofia ocidental, o anarquismo e o cristianismo unem-se em sua obra, como no grande caldeirão das bruxas de *Macbeth*, para enfeitiçar os leitores. Um feitiço pessimista talvez? Sim, eis que a beleza de Sabato é feita de tristeza, mas em suas próprias palavras: "*Conoce usted a alguno de los grandes que se proponga, simplemente, alcanzar la belleza*?"

EUCLIDES DA CUNHA

★ Santa Rita do Rio Negro (RJ), Brasil, 1866
✞ Rio de Janeiro, Brasil, 1909

Iniciou seus estudos em colégios da Bahia e do Rio de Janeiro. Mais tarde, matriculou-se na Escola Militar, de onde foi expulso por insubordinação. Estudou Engenharia e, com o advento da República, retornou ao Exército. Dedicou-se à Engenharia Civil e ao Jornalismo, trabalhando em São Paulo e no Rio de Janeiro. *Os sertões* foi escrito durante a Campanha de Canudos, da qual o escritor participou em missão de imprensa. Ao constatar, em sua obra, que o sertanejo é um forte a despeito da carga histórica, das precárias condições locais e da forte miscigenação das raças, Euclides da Cunha contrariou os princípios causalistas, evolucionistas e deterministas que dominavam o pensamento da época. Além disso, ao documentar o conflito entre diferentes culturas, criou uma linguagem própria, composta pela observação aguda e sistemática da realidade da região. Como jornalista, publicou ensaios de natureza sociológica. Sua fortuna crítica é comparável à de Machado de Assis.

OBRA PRINCIPAL: *Os sertões*, 1902

EUCLIDES DA CUNHA

por Ronaldo Machado

Euclides da Cunha inaugura com *Os sertões* uma nova visada da literatura brasileira em direção ao *hinterland* nacional, muito diferente do sertanismo romântico de José de Alencar, por exemplo. Traça um novo itinerário que será posteriormente seguido pelo Romance de 30 e mesmo por Guimarães Rosa com *Grande sertão: veredas* (1956). Com um texto híbrido, cindido entre a literatura, a sociologia e a história, que desorienta a tipologia dos gêneros e os protocolos de leitura, situa-se na vertente dos ensaios de interpretação das nacionalidades latino-americanas, tal como *Facundo* (1845), do argentino Domingo Faustino Sarmiento, o que já motivou uma série de estudos comparatistas entre ambos. A obra também impressionou Mario Vargas Llosa, inspirando-o na escrita de *La guerra del fin del mundo* (1982).

Contemporâneo das teorias evolucionistas e deterministas do final do século XIX, Euclides da Cunha compõe *Os sertões* em uma estrutura de três partes (a Terra, o Homem, a Luta), seguindo o modelo de Taine (raça, meio e momento), estabelecendo, a partir do episódio da guerra de Canudos, uma ampla interpretação do país, em que o Brasil civilizado do litoral se confronta com o Brasil agreste, bárbaro e trágico do sertão.

Sob o preciosismo e o cientificismo do vocabulário, a tensão e a dramaticidade da frase são o que mais impressiona na linguagem de *Os sertões*, sustentando um jogo antitético numa escala inteira de variações, num constante movimento de caracterização/descaracterização da ação, do cenário e das personagens, como na seguinte passagem da terceira parte da obra:

> A luta é desigual. *A força militar decai a um plano inferior.* Batem-na o homem e a terra. E quando o sertão estua nos bochornos dos estios longos não é difícil prever a quem cabe a vitória. *Enquanto o minotauro, impotente e possante*, inerme com a sua envergadura de aço e grifos de baionetas, sente a garganta exsicar-se-lhe de sede e, aos primeiros sintomas de fome, reflui à retaguarda, fugindo ante o *deserto ameaçador e estéril*, aquela flora agressiva abre ao sertanejo *um seio carinhoso e amigo.* (grifos meus)

Por esse jogo de caracterização/descaracterização, Euclides relativiza a idéia de superioridade do homem do litoral frente ao retrógrado sertanejo. Os elementos naturais e sociais da terra ignota do sertão, por serem incompreendidos, levam o exército republicano – a própria civilização – a uma degenerescência dos padrões de ação e de comportamento, fim inevitável e último recurso frente ao desconhecido, ao selvagem, ao bárbaro.

Essa tensão repete a própria oscilação entre a euforia e a disforia que Euclides da Cunha viveu na compreensão da guerra de Canudos, depois que acompanhou *in loco* os acontecimentos entre os meses de agosto e outubro de 1897, como correspondente do jornal *O Estado de S. Paulo*. Com a bagagem cientificista de sua formação de engenheiro militar, Euclides interpreta previamente o confronto entre o exército e os seguidores de Antônio Conselheiro como o resultado da marcha positiva da história sobre as raças inferiores e incultas das áreas atrasadas do país. Porém, com o transcorrer da luta e, especialmente, com a execução sumária (degola) da população restante de Canudos, o escritor percebe que o crime e a loucura estavam incrustados na própria civilização do litoral, enquanto a força, antes de tudo, estava no sertanejo.

Canudos não se rendeu. Exemplo único em toda a História, resistiu até ao esgotamento completo. Expugnado palmo a palmo, na precisão integral do termo, caiu no dia 5, ao entardecer, quando caíram os seus últimos defensores, que todos morreram. Eram quatro apenas: um velho, dois homens feitos e uma criança, na frente dos quais rugiam raivosamente cinco mil soldados.

Fiódor DOSTOIÉVSKI

★Moscou, Rússia, 1821
✞ São Petersburgo, Rússia, 1881

Engenheiro e militar, dedicou-se à literatura, levando uma vida boêmia e desregrada. Ainda em vida, foi considerado um dos escritores mais populares da Rússia. Simpático às idéias democráticas, combateu o regime autoritário do tsar, ligando-se a grupos anarquistas. Acusado de subversão, preso e condenado à morte, sua pena foi comutada pela de exílio na Sibéria. Em 1859, fixou residência em São Petersburgo, transformando suas duras experiências nos romances *Humilhados e ofendidos* (1861) e *Memórias da casa dos mortos*. Trabalhou como jornalista e teve uma vida tumultuada, fugindo para a França ao ser pressionado por credores de dívidas de jogo. Retornou à Rússia, onde escreveu seus melhores romances, dentre os quais *Crime e castigo*, *O idiota e Os irmãos Karamazóv*. Antecipando-se à moderna psicologia, explorou em sua obra os motivos ocultos e chegou a compreender, de modo intuitivo, o funcionamento do inconsciente, o sofrimento psíquico, os sonhos e as perturbações causados pelo desequilíbrio mental.

Obras principais: *Memórias da casa dos mortos*, 1861-1862; *Notas do subsolo*, 1864; *Crime e castigo*, 1866; *O jogador*, 1867; *O idiota*, 1868; *Os irmãos Karamazóv*, 1880

Fiódor Dostoiévski

por Fernando Mantelli

Fiódor Mikháilovitch Dostoiévski nasceu em 1821 em Moscou. Estréia na literatura em 1846 com *Gente pobre*, novela narrada através de cartas, em que já aparecem suas personagens correntes, os humilhados e ofendidos. Em *O sósia* (1846), Dostoiévski antecipa questões da psicanálise, trata da duplicação das almas, dos seus temas favoritos. Seguem-se os contos longos "O senhor Prokhartchin" e "A senhorita", ambos de 1847. Em abril desse ano, sua carreira é interrompida: Dostoiévski é preso por motivos políticos e acaba sendo condenado à morte. Em dezembro de 1849, é levado ao pelotão de fuzilamento: lida a sentença, beijam a cruz, preparam trajes para a morte, prendem três homens aos postes, chamavam de três em três, Dostoiévski na segunda fila; então interrompem a execução, anunciando a substituição da pena de morte por quatro anos de trabalhos forçados. Na Sibéria, Dostoiévski tem seu primeiro contato com criminosos, tema que nunca deixou de fasciná-lo. Lá nascem as *Memórias da casa dos mortos*, o primeiro dos seus chamados grandes romances. Livre, volta a São Petersburgo em 1859, publica *O sonho do titio* e *A aldeia Stiepántchikovo e seus moradores*. Em 1861, *Humilhados e ofendidos* e, em 1862, as *Memórias*. Em 1864, é a vez de *Notas do subsolo*, em que suas principais discussões filosóficas aparecem: alguém impôs um limite, cabe ao homem parar diante desse limite e se igualar ao resto ou ultrapassá-lo, ainda que à custa de sacrifícios.

A partir de *Crime e castigo*, inicia a etapa dos grandes romances: *O idiota*, *Os demônios* (1872), *O adolescente* (1875) e *Os irmãos Karamazóv*. É nesses cinco livros que o universo dostoiévskiano se revela em toda a sua forma. Sua multiplicidade de personagens, um diferente do outro, cada qual falando com a própria voz, aprofundando a noção do humano. E esta é, quem sabe, a maior qualidade de Dostoiévski: o modo como descreve as emoções humanas. Se em suas páginas abundam diálogos metafísicos e religiosos, conceitos políticos, filosóficos e éticos, tudo, porém, vai ao encontro da psicologia de seus personagens, animando-os. São pessoas que, além de pensar, expressam seus sentimentos. Cada personagem traz, dentro de si, seu oposto e vive a interrogar-se sobre o seu verdadeiro caráter. Tudo nelas é em dobro, unindo-se o bem e o mal, o amor e o ódio. Dostoiévski não se satisfaz em colocar de um lado os bons e do outro os maus.

A obra de Dostoiévski retrata a realidade? Importa que parece real, crível. Ele não recria nossa realidade, cria uma nova, completa, que parece real porque não tem contradições internas. Uma realidade intensa, de emoções intensas. Emoções semelhantes às quais ele próprio enfrentou em vida – no simulacro de execução, nas crises de epilepsia, no vício da roleta, na morte do filho. Dostoiévski não tem medo das emoções.

François RABELAIS

☆ La Devinière, França, 1494
✝ Paris, França, 1553

Filho de advogado, recebeu educação clássica e cedo ingressou como frade menor no convento franciscano, transferindo-se depois para a ordem dos Beneditinos. Viajou pelas aldeias do interior da França, cujos dialetos, lendas e costumes inspiraram parte de sua obra. Conviveu com os mais célebres professores de sua época, abandonando o hábito para matricular-se na faculdade de Medicina de Montpellier. Mais tarde, veio a realizar conferências evangélicas, juntamente com Calvino e Teodoro de Bèze. Sua obra principal, *Gargântua e Pantagruel*, é uma epopéia heróico-cômica que parodia os romances de cavalaria então em moda. Tendo sido um dos primeiros modernistas, Rabelais traduziu as preocupações típicas do homem do Renascimento e utilizou o humor para criticar a igreja, a burguesia e os príncipes ambiciosos e corrompidos da época. A qualidade de sua obra decorre da linguagem inventiva e rica, que utiliza a diversidade de línguas e registros.

Obras principais: *Pantagruel*, 1532; *Gargântua*, 1534

François Rabelais

por Volnyr Santos

Embora se trate de um dos mais geniais escritores do Renascimento francês, François Rabelais não pode ser estudado isoladamente: primeiro, porque a produção literária francesa do século XVI, cujos expoentes são precisamente François Rabelais e Michel Montaigne, está marcada de forma indelével pelo prestígio das letras italianas; segundo, porque a própria Renascença, como idéia de renovação e de restauração, provocou, a partir da Itália, uma efervescência intelectual e uma crise nos valores da época que terminou por contaminar a Europa com o florescimento do humanismo a partir de um novo sistema formal e iconográfico que procurava suas fontes na Antigüidade. François Rabelais é produto dessa circunstância cultural.

Sua vida é de uma riqueza tão intensa quanto a obra que escreveu. Foi frade franciscano, tendo ingressado na ordem dos Beneditinos de Maillezais em 1524. Renunciou à vida religiosa em 1527 e viajou pela França, conhecendo as universidades e escolhendo a faculdade de Medicina de Montpellier para fazer seus estudos. Médico em Lyon, editou, em 1532, obras de Direito e de Medicina e os *Horríveis e espantosos feitos e proezas do mui afamado Pantagruel*, assim como o almanaque *Pantagruéline prognosticacion.* Em 1534, publicou *Vida inestimável do grande Gargântua, pai de Pantagruel.* Em 1546, o *Terceiro livro dos fatos e ditos heróicos do nobre Pantagruel*, que foi, como as obras anteriores, condenado pela Sorbonne. O *Quarto livro de Pantagruel* teve os primeiros capítulos publicados em 1548, e a obra completa apareceu em 1552. Em 1551, tornou-se pároco de Meudon. A edição completa do *Quinto livro* só seria publicada em 1562.

Um dos grandes estudiosos da obra de François Rabelais foi o russo Mikhail Bakhtin (1895-1975), um dos mais importantes teóricos da literatura contemporânea, que afirma ser "difícil" a leitura de Rabelais porque, para tanto, é necessário que se faça uma reformulação radical de todas as concepções artísticas e ideológicas, assim como é preciso desfazer-se de muitas exigências do gosto literário profundamente arraigadas e, acima de tudo, uma investigação profunda dos domínios da literatura cômica popular. Com seu livro *A cultura popular na Idade Média e no Renascimento: o contexto de François Rabelais*, Bakhtin vai proceder a essa revisão. A obra de Rabelais, na visão bakhtiniana, resume as aspirações da primeira metade do século XVI, concilia a erudição com as tradições populares e desenvolve lições de um novo humanismo.

Erudito e curioso, Rabelais é o modelo perfeito dos humanistas da Renascença, que lutam com entusiasmo para renovar, à luz do pensamento antigo, o ideal filosófico e moral do seu tempo. Por trás do tom grotesco e da farsa, Rabelais convida o leitor a pensar em uma renovação do ideal filosófico à luz do pensamento antigo e faz uma profissão de fé na ciência e na natureza humana. Seu gênio, como escritor, reside na linguagem truculenta, feita de invenções verbais, servida por um vocabulário rico, imaginoso, que utiliza, por exemplo, em relação ao corpo humano, representações que se opõem às imagens clássicas do corpo humano acabado e perfeito: as figuras grotescas, com a sua ambivalência lingüística, são meios de expressão artística e ideológica do sentimento da história e da alternativa histórica, que surge com excepcional vigor no Renascimento, com todas as conseqüências que isso pode representar para a cultura.

Franz KAFKA

★ Praga, Tchecoslováquia, 1883
✞ Kierhing, Áustria, 1924

Judeu de classe média, começou a escrever aos quinze anos, embora a maior parte de sua obra tenha sido publicada postumamente. Viveu sua infância em um clima opressivo, dominado pela figura tirânica do pai. Personalidade complexa, tímido, funcionário público exemplar, conviveu com intelectuais, participando reservadamente da vida cultural. Seus trabalhos só foram enviados a editoras e jornais depois da insistência de admiradores, como o conterrâneo Max Brod, responsável pela divulgação de sua obra. Esta começou a ganhar espaço durante os anos 1920, por intermédio de André Breton e, mais tarde, de Jean-Paul Sartre e Albert Camus, chegando aos países de língua inglesa. Seus livros, proibidos durante a Segunda Guerra Mundial, retornaram à Alemanha apenas em 1950. Dentre esses, os mais conhecidos são *A metamorfose* e *O processo*. Sua obra é considerada um dos pontos altos da literatura fantástica, com destaque para o modo como o absurdo irrompe o cotidiano e o desestabiliza.

Obras principais: *A metamorfose*, 1916; *Na colônia penal*, 1919; *Carta ao pai*, 1919; *Artista da fome*, 1924; *O processo*, 1925; *O castelo*, 1926

Franz Kafka

por Antonio Hohlfeldt

Kafka viveu entre o final do século XIX (nasceu em 1883) e as três primeiras décadas do século XX (morreu em 1924). Assistiu, pois, à passagem dos séculos, mas, principalmente, à Revolução Russa e à Primeira Guerra Mundial. Judeu, natural de Praga, experimentou na carne a marginalização sob todos os seus aspectos: Praga era a capital de uma nação relativamente artificial (afinal, a Tchecoslováquia fazia parte do Império Austro-Húngaro – ele mesmo, Franz, falava alemão), e os judeus, em qualquer tempo e em qualquer lugar, sempre foram perseguidos ou sofreram desconfiança por parte dos demais segmentos populacionais. Some-se a esses aspectos culturais e históricos um aspecto psicológico pessoal: o sentimento de *apartamento* que marcou o adolescente e o adulto, fato que se confirma ao serem lidos seus *Diários* ou a famosa *Carta ao pai*.

Perto de morrer, Kafka queria que seus escritos fossem destruídos. Felizmente, seu principal amigo, Max Brod, descumpriu essa vontade, e hoje a obra de Franz Kafka, lida e debatida constantemente, constitui-se em um dos mais radicais e contundentes documentos sobre a modernidade, a tentativa de afirmação da racionalidade e, ao mesmo tempo, a vitória da irracionalidade. Kafka ilustra toda a teoria freudiana da psicanálise (veja-se *O castelo* ou *A metamorfose*), mas, sobretudo, evidencia a fragmentação da consciência do homem moderno, uma esquizofrenia que impede a auto-imagem, a afirmação da identidade e, portanto, toda e qualquer realização afirmativa.

Além disso, antecipa os sistemas de força que negariam a individualidade, como o socialismo soviético, que começava a ser então edificado, ou o nazismo, que logo depois tomaria conta da Alemanha, matizado pelo fascismo de Mussolini na Itália, etc. Em síntese, Kafka foi moderno porque sua literatura surpreende a inadequabilidade do ser humano ao mundo crescentemente maquinizado, onde as pessoas se tornam máquinas, robôs, coisas, instrumentos de poder, negadas em sua essência e em sua identidade. Para bem se ler Kafka, por isso mesmo, deve-se levar em conta tanto a chave psicanalítica quanto a histórico-cultural.

Francis Scott Key FITZGERALD

✭ Saint Paul, EUA, 1896
✞ Los Angeles, EUA, 1940

Oriundo de família católica irlandesa, chegou a cursar a Universidade de Princeton, alistando-se, a seguir, como voluntário na Primeira Guerra Mundial. Iniciou sua carreira literária em 1920, com o romance *Este lado do paraíso*, que lhe trouxe imediata popularidade. Publicou textos literários em periódicos de grande prestígio, além de trabalhar em Hollywood como roteirista cinematográfico. A inspiração romântica de Scott Fitzgerald consagrou-o como um dos mais importantes escritores da chamada "Geração Perdida" da literatura norte-americana. Além de buscar um estilo próprio para fixar, ficcionalmente, a história de seu tempo, procurou retratar o efêmero e o passageiro. Atraído e deslumbrado pelo modo de vida dos ricos, concentrou-se em pesquisar a maldição ligada às grandes fortunas. Seu livro *O grande Gatsby*, filmado na década de 1970, contribuiu para o reconhecimento de sua obra no mundo ocidental.

Obras principais: *Este lado do paraíso*, 1920; *Seis contos da era do jazz*, 1922; *O grande Gatsby*, 1925; *Suave é a noite*, 1934; *O último magnata*, 1941

F. Scott Fitzgerald

por Celito De Grandi

"– Quem é esse tal Gatsby, afinal de contas? – indagou, subitamente, Tom. – Algum grande contrabandista de bebidas?"

A pergunta, feita por um dos personagens de *O grande Gatsby*, faz todo sentido, já que F. Scott Fitzgerald criou uma inteligente atmosfera de mistério em torno da figura e da vida opulenta, glamorosa e instigante de Gatsby. E ele só a desvenda com parcimônia, em pinceladas significativas de um modo de vida característico dos anos 1920 nos Estados Unidos. Os atores do livro, em sua grande maioria, são homens e mulheres jovens, ricos, belos, envolvidos em histórias de amor e traição, vivenciadas em meio a uma festa permanente: a casa sempre iluminada de Gatsby reúne todas as noites dezenas de figuras, convidadas ou não, preocupadas em desfilar sua elegância, verdadeira ou construída. Tudo regado a muita bebida. Um mundo de champanhe.

A história de Jay Gatsby é considerada por muitos críticos uma espécie de parábola do sonho americano. Dono de uma grande fortuna, acumulada de uma forma não bem explicada, Gatsby é quem menos se diverte em suas noites de festa, sempre às voltas com a busca do amor perdido de uma bela mulher casada com outro milionário.

O mundo fantasioso da elite americana do início do século XX sempre exerceu um fascínio sobre F. Scott Fitzgerald. Filho de uma família de classe média e casado com uma bela mulher da alta sociedade, ele viu boa parte da sua vida transcorrer em festas e viagens continuadas na Europa e nos Estados Unidos. Com esse jeito de ser, de um lado, recolheu farto material para os livros; de outro, faltou-lhe tempo para produzir uma obra maior, o que não o impediu de se tornar um dos mais importantes escritores norte-americanos e o mais bem remunerado autor de sua época. Ele foi o intérprete perfeito do modo de ser dos ricos e dos aristocratas que se imaginam eternamente jovens.

Há um diálogo revelador entre as duas principais mulheres do enredo de *O grande Gatsby*:

"– Que é que faremos conosco esta tarde? – exclamou Daisy. – E amanhã? E nos trinta anos que se seguirão?

"– Não seja mórbida – disse Jordan. – A vida recomeça de novo, ao chegar, revigorante, o outono."

A vida, na realidade, não é assim, logo descobriu F. Scott Fitzgerald. Ele próprio soçobrou, junto com o declínio do sonho americano. Sua mulher viveu os últimos dias num hospício, e ele, consumido pelo álcool, enfrentou o ostracismo em Holllywood, com a rejeição de roteiros para filmes.

Sua produção literária, no entanto, embora reduzida, é da maior significação para a literatura ocidental, e *O grande Gatsby*, levado para o cinema em mais de uma versão – a mais conhecida é o roteiro de Francis F. Coppola, com Robert Redford no papel-título –, foi considerado, em uma enquete da *Modern Library*, como o segundo melhor romance de língua inglesa do século XX. Perde apenas para *Ulisses*, de James Joyce.

GABRIEL GARCÍA MÁRQUEZ

★ Aracataca, Colômbia, 1928

De família modesta, estudou Direito e Jornalismo nas universidades de Bogotá e Cartagena, na Colômbia. Mais tarde, na Europa, foi correspondente do jornal *El Espectador*. Entre 1959 e 1961, viveu em Havana e em Nova York, como representante da *Prensa Latina*, agência cubana de notícias; mudou-se depois para o México, trabalhando como jornalista e roteirista. Sua consagração como ficcionista veio com *Cem anos de solidão*, romance em que conta a história do povo de Macondo e de seus fundadores, a família Buendía. Um dos aspectos mais importantes de sua obra é a ruptura com o realismo tradicional e a incorporação de elementos de caráter mítico e lendário. É considerado o maior representante do realismo mágico na literatura hispano-americana e um dos principais escritores do século XX. Em 1982, recebeu o Prêmio Nobel de Literatura.

OBRAS PRINCIPAIS: *Ninguém escreve ao coronel*, 1961; *Os funerais da mamãe grande*, 1962; *Cem anos de solidão*, 1967; *O outono do patriarca*, 1975; *O amor nos tempos do cólera*, 1985; *Doze contos peregrinos*, 1992

GABRIEL GARCÍA MÁRQUEZ

por Fabian E. Debenedetti

"Muitos anos depois, diante do pelotão de fuzilamento, o coronel Aureliano Buendía haveria de recordar aquela tarde remota em que o pai o levou a conhecer o gelo." Quando Gabriel García Márquez datilografava as linhas que seriam as primeiras do seu maior êxito, talvez não tivesse idéia de que elas se converteriam em símbolo de toda uma transformação literária na América Latina e passariam a integrar a memória de gerações junto às palavras iniciais de contadas obras da literatura universal que alcançam tal grau de transcendência.

No ato da publicação de *Cem anos de solidão*, em 1967, seria atingido o ápice do processo que o escritor havia iniciado, em 1955, com *Folhas mortas* e que incluem *Ninguém escreve ao coronel* e a coletânea de contos *Os funerais da mamãe grande*, em cuja *nouvelle* central – que cede seu nome ao conjunto – encontraremos prefigurados os elementos estéticos que viriam a conformar o chamado realismo mágico: a chuva de pássaros que rompe telhados, o padre que viu o diabo e que afirma ter achado o judeu errante contribuem para moldar a atmosfera alucinante do funeral da matriarca ao qual convergem, em uma sucessão caleidoscópica, o Presidente da República, camponeses, contrabandistas, prostitutas, feiticeiros e até o sumo pontífice.

Essa atmosfera de ilusão que envolve a trama se encontra potencializada ao extremo em *Cem anos de solidão*; entretanto, o mágico está a serviço de melhor evidenciar as misérias que acompanham a construção da história da nossa América Latina, é ali que reside o profundo realismo da obra de García Márquez. Acompanhando o nascimento e a morte de Macondo e a saga dos Buendía, se evidencia quão perniciosa pode ser a desmemória para os povos que a escolhem. Se já é boa a primeira vez em que lemos *Cem anos de solidão*, é melhor ainda quando vamos detectando as diversas camadas significativas que se evidenciam à medida que o leitor se mune de subsídios – dados históricos, outras obras do próprio autor e da literatura universal –, o que o habilita a fazer dessa obra uma leitura à qual deve retornar de tanto em tanto e que, sem dúvida, dará ao leitor em seu amadurecimento o prazer da descoberta de novas claves para decifrá-la.

García Márquez levou quase uma década para quebrar o feitiço de Macondo e produzir uma obra que não lhe estivesse subordinada estilisticamente. Quando em 1975 publica *O outono do patriarca*, consegue manter-se fiel ao seu projeto de resgate da memória e crítica implícita à tendência ao olvido de nossas sociedades, retratando no *Patriarca* a legião de ditadores que assolaram a América Latina. A repetição dentro do próprio relato e as "violências" formais – como a quase supressão da pontuação – contribuem para criar a idéia de tempo detido, a-histórico, que obriga o leitor a se posicionar criticamente. A visão crítica da história que García Márquez quer provocar no leitor ele mesmo a escancara em *O general em seu labirinto* (1989), em que Simón Bolívar é despido de qualquer bronze para ser mostrado, em seus derradeiros dias, em toda a sua falibilidade e, portanto, humanidade.

García Márquez já estava de posse do Prêmio Nobel – outorgado em 1982 – quando em 1985 deu mais uma mostra de que não era um autor propenso à acomodação, publicando *O amor nos tempos do cólera*. Nele os temas humanos transcendentais, como a vida e a morte, o amor e a fidelidade, a família e a amizade, são retratados nas vidas de Firmina Daza, Florentino Ariza e Juvenal Urbino de tal modo e com tal arte que passam a fazer parte do mito – sem espaço e sem tempo – apesar da contextualização da narração. A percepção final, construída por meio da descrição e da linguagem, é de que todos nós, com nossas vidas corriqueiras, poderíamos fazer parte da lenda.

Muitas outras obras têm escrito e continua escrevendo esse narrador, jornalista e roteirista colombiano que um dia declarou: "A minha verdadeira vocação é a de prestidigitador, mas embaraçava-me tanto quando tinha que fazer um truque, que tive que refugiar-me na solidão da literatura". Esta declaração não é senão outra das mágicas com a qual García Márquez tenta nos enganar. Nós, leitores avisados, sabemos que ele continua em pleno exercício do ilusionismo.

George ORWELL

★Montihari, Índia, 1903
✝ Londres, Inglaterra, 1950

George Orwell, pseudônimo de Eric Arthur Blair, era filho de um funcionário público, tendo estudado no Reino Unido graças a uma bolsa de estudos. Em 1922, foi para a Birmânia como oficial de polícia, retornando à Inglaterra em 1928. Doente e lutando para impor-se como escritor, viveu anos de pobreza em Paris e em Londres. Em 1943, foi nomeado diretor literário do periódico socialista *Tribune*, para o qual escreveu vários artigos e ensaios. Seu prestígio se consolidou com a publicação de *A revolução dos bichos*, fábula satírica inspirada na traição da revolução soviética a seus próprios ideais. Seu romance de maior sucesso, no entanto, foi *1984*, no qual apresenta um estado totalitário, que assume o controle da sociedade, negando a individualidade dos cidadãos. Mesmo despertando controvérsias, essa obra constitui um repúdio ao totalitarismo e uma advertência contra a distorção dos fatos constantes nas versões oficiais.

Obras principais: *A revolução dos bichos*, 1945; *1984*, 1949

George Orwell

por Amilcar Bettega

Eric Arthur Blair nasceu em 25 de junho de 1903, em Montihari, na Bengala, filho de um funcionário do governo inglês lotado na Índia. Algum tempo depois a família retorna à Inglaterra e, em 1922, Eric Blair entra na Polícia Imperial, indo servir na Birmânia. Contudo, em 1928, abandona seu posto para empreender uma espécie de descida aos infernos nos bairros pobres de Londres e, mais tarde, de Paris. Desempregado ou vivendo de pequenos trabalhos, Eric Blair já escreve, e é a partir dessa experiência que nasce *Na pior em Paris e Londres*, publicado em 1933. Na capa do livro, o nome daquele que mais tarde será reconhecido como um dos autores mais importantes para compreender o que foi o século XX: George Orwell. Este foi o nome que Eric Blair escolheu para deixar de ser o filho da burguesia britânica colonialista e seguir o próprio caminho. Já era reconhecido por seus ensaios políticos e por seu engajamento à ideologia de esquerda (em 1936, parte para a Espanha e se alista nas milícias de orientação marxista contra o golpe do general Franco) quando publica as obras que o tornarão célebre: *A revolução dos bichos* e *1984*. O primeiro sai em 1945 e é lido, quase sempre, como uma sátira à revolução bolchevique e ao comunismo implantado na União Soviética. Servindo-se do recurso da fábula, o livro é composto por protagonistas animais facilmente identificáveis aos líderes soviéticos, mas seu alcance é muito mais amplo quando o lemos como uma reflexão sobre o poder, sobre como ideais humanistas e plenos de boas intenções podem ser pervertidos até a tirania pelo efeito de droga produzido pelo exercício do poder, pela sede de dominação inerente ao ser humano.

Já *1984* é uma antiutopia, um pesadelo ambientado numa Londres cinzenta e degradada, num mundo dividido em megablocos, permanentemente em guerra e sob um regime totalitário representado pela figura do onipresente Big Brother, aquele que tudo vê e tudo sabe. A destruição da individualidade, a vigilância permanente, a lavagem cerebral como instrumento de dominação, a manipulação dos dados históricos e das idéias por meio de um vocabulário apropriado para esse fim, o empobrecimento afetivo, intelectual e até lingüístico, a disseminação do medo através da ameaça permanente da guerra – o quadro que o livro pinta é sombrio, mas repleto de paralelos com a realidade do pós-guerra na Europa e, o que é pior, com alguns elementos que reconhecemos em nossa desencantada realidade atual. Em 1949, quando publicado, *1984* foi imediatamente para o centro do combate ideológico que à época da guerra fria polarizava a intelectualidade internacional, tendo sido apropriado tanto pela propaganda americana anticomunista quanto pelos críticos do capitalismo. Por não apontar saída em suas ficções para a mão pesada do totalitarismo, o escritor já foi acusado de anti-revolucionário, mas ao mesmo tempo é saudado como libertário por fazer a denúncia desse mesmo totalitarismo. Fazendo da literatura e da política reverberações uma da outra, Orwell foi sempre objeto de muitas controvérsias, menos uma: a de que se trata de um autor fundamental.

Giovanni BOCCACCIO

★ Paris, França, 1313
✝ Certaldo, Itália, 1375

Filho ilegítimo de um rico mercador florentino, estudou Direito e línguas clássicas e iniciou sua produção literária com uma série de poemas amorosos. Exerceu cargos diplomáticos, tornando-se amigo de Petrarca e leitor de Dante. Sua obra principal, *Decamerão*, concluída por volta de 1353, tem como tema a epidemia de peste de 1348 em Florença. Essa obra é considerada a origem do romance moderno. Nela estão sintetizados os valores morais e sociais do final da Idade Média, registrando-se o choque entre as concepções teocráticas e feudalistas, o humanismo e o apogeu da burguesia mercantilista. O realismo e o tom freqüentemente licencioso e sensual de sua obra fizeram com que fosse censurada à época. Boccaccio, muitas vezes, adotou em sua produção literária uma ironia austera e desencantada, reflexo de sua lúcida compreensão da época de transformações em que viveu.

Obra principal: *Decamerão*, 1353

Giovanni Boccaccio

por Luiz Osvaldo Leite

A obra que deu permanência e notoriedade a Boccaccio e que, ao mesmo tempo, fez dele um estruturador de uma nova estética foi *Decamerão* (1348-1353), ou Dez Dias – expressão malformada da língua grega.

Em *Decamerão*, Boccaccio pinta um quadro encantador dos costumes de sua época. Trata-se de cem contos, narrados em dez dias por um grupo de jovens – três rapazes e sete moças – que, para fugir da peste bubônica de 1348, dirigindo-se para Fiesole, refugiam-se em uma casa de campo, em lugar ameno e paradisíaco, e contam histórias. A descrição detalhada dos horrores da epidemia – quando morriam, pelas ruas, três pessoas de cada cinco – contrasta com o comportamento dos jovens, que, compreendendo as conseqüências do flagelo, saboreiam a brevidade da vida, decididos a gozar todos os seus prazeres. Enquanto a morte ronda, fazem a crônica burlesca da sociedade medieval, com os olhos abertos para o *risorgimento*, substituindo por hinos de amor as orações dos agonizantes. Ceticismo, licenciosidade, sensualismo e epicurismo mesclam-se nessas histórias, em que há muito realismo, senso crítico e vontade de viver.

Boccaccio vincula-se a uma concepção otimista da existência e, inclusive, manifesta sua fé na inteligência alimentada por uma experiência múltipla e sem preconceitos, fé no ser humano e em seu poder, se este souber equilibrar suas paixões. O mundo das verdadeiras paixões, para Boccaccio, é o do amor, que ele concebe como um sentimento terrestre e humano, em que o gozo sensual está estreitamente ligado à *harmonis* estética e intelectual da pessoa amada. A forma magnífica e a prosa límpida de Boccaccio inauguraram um perfeito modelo literário e uma língua italiana modelar.

Decamerão é uma novela pícara, podendo seus dez capítulos ter vida independente, como contos. A idéia central é a de que a natureza dita ao ser humano as regras fundamentais de sua conduta. Sufocar os sentimentos é desvirtuar a própria vida, reafirmando a ruptura dos princípios morais e religiosos da Idade Média, que defendiam o valor da vida supraterrena e do amor espiritual. Boccaccio insiste na exaltação da beleza e do amor terrenos.

Depois de sua obra-prima, Boccaccio viveu intensa crise religiosa nos últimos anos de sua vida. A partir de então, suas obras passam a respirar uma atmosfera medieval moralizante. Os problemas físicos e morais agravavam-se. Em 1362, o monge chamado Joaquim Ciani comunicou-lhe mensagem agourenta, que teria sido revelada por um confrade falecido, a qual anunciava a iminência de sua morte e de sua condenação eterna, caso não abandonasse sua arte. Boccaccio parece ter ficado profundamente perturbado e só não queimou toda a sua produção literária porque Petrarca o impediu.

Após tal crise, Boccaccio consagrou-se à pesquisa de textos gregos e latinos, contribuindo, assim, para desenvolver um círculo de humanistas em Florença. Redigiu também obras eruditas em latim, embora não devam ser esquecidas as obras em latim vulgar.

Nos últimos anos de sua existência, Boccaccio desenvolveu uma série de comentários sobre *A divina comédia*, de Dante Alighieri. Pretendia publicar tais trabalhos, mas não conseguiu, pois, abalado com a morte de Petrarca, ocorrida em 1374, Boccaccio veio a falecer em 1375.

GIOVANNI VERGA

✯ Catânia, Itália, 1840
✞ Catânia, Itália, 1922

Pertencente a uma família de proprietários de terra, cursou Direito em sua cidade natal, alcançando renome graças a seus romances históricos, marcadamente românticos, como *Os carbonários da montanha.* Em 1869, mudou-se para Florença e depois fixou-se em Milão, onde conheceu o romancista siciliano Luigi Capuana, iniciador do *Verismo* na Itália. Com a publicação de *Vida dos campos*, a obra de Verga evolui para a descrição da sociedade rural conforme a técnica "verista", definida como o relato objetivo de uma situação, ou "fato natural", sem a interpretação do autor. Em 1881, publicou *Os Malavoglia*, sua obra-prima. O conto *Cavalleria Rusticana*, que serviu de base à ópera de Mascagni, e o romance *Mastro Don Gesualdo* consolidaram seu prestígio internacional. A obra de Verga também inspirou o movimento neo-realista no cinema italiano.

OBRAS PRINCIPAIS: *Os carbonários da montanha*, 1862; *Vida dos campos*, 1880; *Os Malavoglia*, 1881; *Cavalleria Rusticana*, 1884; *Mastro Don Gesualdo*, 1889

GIOVANNI VERGA

por Silvana de Gaspari

Giovanni Verga, segundo o crítico e narrador Luigi Capuana, é o maior representante do *Verismo*, fenômeno literário essencialmente italiano, com as seguintes obras: *Vida dos campos* e *Os Malavoglia.* Para Capuana, as características centrais da nova corrente literária deveriam ser impessoalidade, fidelidade à realidade e escrita maleável. O interesse principal dos veristas estava centrado na descoberta do caráter primitivo das classes subalternas, nas quais o elemento humano, não contaminado pelas relações sociais complexas e pelas intrincadas implicações intelectuais, poderia ser estudado em sua dimensão mais pura e imediata. Na narrativa de Verga, são encontrados ambientes e lugarejos sicilianos e também a individualização de uma situação social específica. O autor se volta para as classes sociais mais humildes, nas quais as leis burguesas se manifestam com maior clareza.

Da consideração das condições da plebe meridional, Verga passa a uma visão geral da sociedade. Para ele, a ordem burguesa é um sistema imóvel e imutável, o qual ele não julga, apenas se limita a representar. A verdade é que o autor, por trás das experiências que haviam norteado suas escolhas até então, começava a dar atenção a uma realidade diferente, direcionado por outras experiências de vida. O amargo pessimismo atribuído ao escritor é tirado da profunda piedade que ele prova pelos homens: humildes criaturas que a dura realidade arrasta sem compaixão. Ocorre, assim, que a matéria narrada não somente parece fazer-se por si, como, principalmente, parece narrar-se por si só, como já definido pelo próprio autor. Contrariamente aos escritores naturalistas, que observavam os primitivos como brutos sem alma, Verga empenha-se em penetrar no íntimo dos personagens para descobrir o seu lado humano.

É comum encontrarmos críticos que dizem faltar, na sua narrativa, o elemento espetacular, o *colpo di scena*, o fato emocionante. A sua língua foi criticada como pobre e incorreta. Mas Verga chamou a atenção do público italiano, sobretudo como o escritor que revelava à Itália, há pouco unificada, certos aspectos pouco conhecidos da vida do povo siciliano. Hoje, Verga e Manzoni são reconhecidos como os maiores narradores italianos do século XIX. Os ambientes, representados com grande originalidade expressiva em seus contos e romances, dão voz a mentalidades, valores, convicções que se encontram por toda a Itália e, talvez, por todo o mundo. Obras traduzidas: *Contos sicilianos*, organizado por Carmelo Distante, São Paulo: Editora da Universidade de São Paulo, 1983; *Os Malavoglia*, tradução de Aurora Fornoni Bernardini e Homero Freitas de Andrade, São Paulo: Ateliê, 2002; *Cenas da vida siciliana*, tradução de Mariarosario Fabris e outros, São Paulo: Berlendis & Vertecchia, 2001.

GIUSEPPE TOMASI DI LAMPEDUSA

✯ Palermo, Itália, 1896
✞ Roma, Itália, 1957

De família aristocrática, estudou Direito em Turim e viveu na França e na Inglaterra. Serviu na Primeira Guerra Mundial e, capturado na Hungria, fugiu e voltou a pé para a Itália. Em 1955, Lampedusa começou a escrever *O leopardo*, que só foi publicado um ano após sua morte. Nele descreve, de forma poética, a decadente nobreza siciliana, com matizes de ceticismo e melancolia. O romance ganhou o gosto do público e da crítica, que chegou a apontar nele pontos de semelhança com *Guerra e paz*, de Tolstói. A personagem principal é Don Fabrizio, príncipe de Salina, cuja casa feudal tem como signo uma espécie rara de leopardo, destinada ao desaparecimento. Realista e desencantado, *O leopardo* é, acima de tudo, o romance da Sicília de 1860, uma ilha marcada pelas paixões e pela violência. A versão cinematográfica de Luchino Visconti, em 1963, acentuou a popularidade da obra.

OBRAS PRINCIPAIS: *O leopardo*, 1958; *Histórias sicilianas*, 1961

GIUSEPPE LAMPEDUSA
por José Antonio Pinheiro Machado

Mais de uma vez em *O leopardo (Il Gattopardo)*, o livro maravilhoso de Giuseppe Tomasi di Lampedusa, soam as sinetas chamando para o jantar e aparecem mesas postas com esmero, magníficas travessas fumegantes carregadas por empregados uniformizados, gelatinas em forma de torre, garrafas esplêndidas, comensais discretos disfarçando sua gula voraz com expressões inapetentes, respeitosamente esperando pelo Príncipe, em pé, atrás das cadeiras.

O Príncipe, personagem antológico em sua grandeza e em sua modéstia comovente, era ele mesmo: o próprio Giuseppe Tomasi di Lampedusa, que além de ser, como seu personagem, um Príncipe, tinha o título de Duque de Parma. E, como o seu personagem, Lampedusa era um homem desprovido dessa vaidade mais rasteira – da notoriedade e da fama –, razão pela qual não foi importante para ele o fato de não ter visto o sucesso de seu livro: no lançamento, depois de sua morte, vendeu um milhão de exemplares só na Itália.

Não só não viu o sucesso, como sequer viu suas obras impressas. Nos anos de 1926-27, escrevia saborosas resenhas de literatura francesa e história em um mensário cultural de nome poético, *Le Opere e i Giorni* (*As obras e os dias*), editado em Gênova. A timidez e certos tumultos pessoais haveriam de interromper essa primeira aproximação profissional das letras. Permaneceram o conforto da leitura, a curiosidade e o prazer de desmontar pedaço a pedaço, quase um brinquedo maravilhoso, os escritos alheios; sobretudo a pesquisa, autor por autor, obra por obra, de precisas descrições biográficas e ambientais.

A letargia do autor durou até um congresso de escritores realizado nas termas de San Pellegrino no verão de 1954. Foi até lá acompanhado de um primo, Lucio Piccolo, que o apresentou a diversos intelectuais importantes da Itália, entre eles Eugenio Montale, que, anos depois, receberia o Prêmio Nobel de Literatura. O convívio daqueles dias foi decisivo para que Lampedusa se tornasse escritor. Viu escritores de perto, conversou com eles, percebeu que não eram semideuses, que podia ser um deles.

Foram fundamentais os estímulos de Lucio Piccolo, que era poeta, e também de Francesco Orlando, outro poeta e narrador. Lampedusa escreveu febrilmente a partir do final de 1954. Nos trinta meses que ainda viveu, trabalhou todos os dias intensamente, construindo o soberbo *O leopardo*, despreocupado de ser publicado e, muito menos, de ser reconhecido como grande escritor. O sucesso, que a sorte em vida lhe negou, só viria depois de sua morte. Morreu em julho de 1957, serenamente, como o Príncipe, seu personagem do romance, após se regalar com o prato favorito de ambos: *timballi di maccheroni*, uma espécie de pastelão divinamente recheado com macarrão e molho.

Graciliano RAMOS

✯ Quebrangulo (AL), Brasil, 1892
✞ Rio de Janeiro, Brasil, 1953

Muito cedo trabalhou como jornalista, comerciante e diretor da Instrução Pública de Alagoas, chegando a prefeito de Palmeira dos Índios em 1928. Estreou na literatura com o romance *Caetés*, convivendo, por essa época, com José Lins do Rego e Rachel de Queiroz. O romance *São Bernardo* é considerado sua obra-prima. Por sua militância política, Graciliano foi preso por onze meses no Rio de Janeiro, experiência que narra em *Memórias do cárcere*. Na década de 1940, filiou-se ao Partido Comunista. Voltado para os problemas sociais, nos quais se engajou a fundo, foi um sensível pesquisador da alma humana. A prosa simples e coloquial, de estilo marcante e seco, fez de sua obra um marco na consolidação da língua portuguesa usada no Brasil. É considerado um dos expoentes da Geração de 30 do modernismo brasileiro. Seus livros foram publicados em diversos países, como Alemanha, Argentina, Cuba, Estados Unidos, Finlândia, França, Itália, Polônia e Rússia, com enorme sucesso.

Obras principais: *Caetés*, 1933; *São Bernardo*, 1934; *Angústia*, 1936; *Vidas secas*, 1938; *Infância*, 1945; *Insônia*, 1947; *Memórias do cárcere*, 1953

Graciliano Ramos
por Ligia Chiappini

> "Era belo, áspero, intratável."
> Manoel Bandeira

O escritor alagoano viveu pouco para os padrões da classe média hoje – 61 anos –, mas teve uma vida muito produtiva, como escritor e como homem público. Mais conhecido pelos romances considerados clássicos do modernismo regionalista do Nordeste, principalmente como autor de *Vidas secas* e *São Bernardo*, incursionou com sucesso em outros gêneros, como o confessional (no romance *Angústia*, "existencialista *avant la lettre*"), o memorialístico (*Infância* e *Memórias do cárcere*) e o cômico, em histórias com base no folclore que tinham na mira, embora não exclusivamente, um público de crianças e jovens.

Graciliano é conhecido por um estilo admiravelmente conciso. De um lado, vai fundo nos aspectos mais ou menos visíveis do Brasil – como a vida das pequenas famílias de camponeses fustigados pela seca e obrigados a migrar para o centro, ou a construção das fazendas como empreendimentos capitalistas, cuja lógica leva a extremos os tradicionais mecanismos que constituíram e mantiveram o país, "máquina de moer gente", chegando aos porões ditatoriais do chamado Estado Novo. De outro lado, aprofunda a sondagem dos sonhos e conflitos individuais, seja do sertanejo, de sua mulher, de seus filhos e até mesmo de sua cachorra (*Vidas secas*), seja do fazendeiro poderoso e aparentemente insensível, mergulhado em remorsos e perplexidades, ao ver-se vencido pela morte da professorinha idealista com quem se casara e da qual se julgava dono (*São Bernardo*). Também é no fora-dentro dos conflitos sociais e individuais que rememora, em uma de suas obras máximas (*Memórias do cárcere*), o dia-a-dia da prisão, quando o homem tenta resistir ao embrutecimento ao qual está condenado pelo arbítrio do poder antidemocrático.

Sua obra realiza o milagre de toda boa literatura e de toda grande arte, que é o de aprofundar a viagem no espaço exterior e singular, ao mesmo tempo em que produz significações mais abrangentes, transcendendo as circunstâncias imediatas em que se insere ou sobre as quais escreve e superando as fronteiras pessoais, regionais e nacionais – sua matéria real e imaginada – para falar de e aos sofrimentos, alegrias, sonhos e impasses humanos demasiadamente humanos.

A escrita enformada por muita técnica, pela competência de quem sabe manejar a língua portuguesa e por uma grande sensibilidade – aliada ao engajamento social de quem busca entender os problemas do seu tempo e se consagra ao expô-los à inteligência e sensibilidade dos demais – persiste, superando também as barreiras do tempo. Graciliano, ao lado de autores como Jorge Amado, José Lins do Rego, Erico Verissimo, Rachel de Queiroz, entre outros, é representante do consagrado Romance de Trinta. O maior deles, o que representou mais tensamente e, portanto, duradouramente as contradições de sua época, muitas das quais são ainda as da nossa época. Essa escrita era e é, como aquele cacto de Manoel Bandeira, bela e áspera, implacável, tal como a qualificou um grande crítico, mas sempre tratável e inesquecível.

Graham GREENE

✭ Berkhamsted, Inglaterra, 1904
✝ Vevey, Suíça, 1991

Filho do diretor da Berkhamsted School, estudou em Oxford e converteu-se ao catolicismo. De 1926 a 1930, trabalhou em Londres no jornal *The Times*, mas veio a tornar-se escritor às vésperas da Grande Depressão. Muitas de suas histórias se passam na atmosfera nervosa e confusa da década de 1930 nos Estados Unidos, quando o mundo se encaminhava para o fascismo e para a guerra. Em seus primeiros romances, o recurso da narrativa de espionagem serve para aprofundar a psicologia das personagens. Seus temas dominantes são o conflito moral e espiritual dos indivíduos, sendo que o quadro político e social de suas obras confere a esses conflitos ampla transcendência. Seus romances revelam uma visão do destino humano e de sua perspectiva cristã, composta de fé e ironia. Em seus livros, combinam-se enredos movimentados e cheios de suspense com preocupações religiosas, sociais e humanistas, o que fez dele um dos mais apreciados autores do século XX.

Obras principais: *O poder e a glória*, 1940; *O terceiro homem*, 1949; *Fim de caso*, 1951; *O americano tranqüilo*, 1955; *Nosso homem em Havana*, 1958; *O fator humano*, 1978

Henry Graham Greene

por Ana Maria Kessler Rocha

Romancista e dramaturgo inglês, educado em Oxford, converteu-se ao catolicismo em 1926. Jovem atormentado, chegou a considerar o suicídio; mais tarde, por um breve período, abraçou o comunismo. Depois de sua conversão, tornou-se um dos escritores católicos de maior destaque nos países de língua inglesa. Sua obra foi traduzida em várias línguas, sendo reconhecida e apreciada em todo o mundo.

Antes da Segunda Guerra Mundial, viajou extensamente nos Estados Unidos e México, onde recolheu material para o seu romance mais conhecido, *O poder e a glória*. Já durante a guerra, trabalhou para o Ministério do Exterior na África Ocidental, cenário de outro romance famoso, *The Heart of the Matter*. Em 1954, cobriu a Guerra na Indochina para o jornal *The New Republic*, e suas experiências no Oriente lhe renderam o pano de fundo para um dos romances mais controversos, *O americano tranqüilo*.

As duas maiores influências reconhecidas por Greene em sua obra são o escritor de suspense escocês John Buchan e o romancista católico francês François Mauriac. Talvez por isso, classificou seu próprio trabalho, dividindo-o entre *entertainments* (divertimentos) e romances sérios. Entre os primeiros, histórias de suspense e espionagem de ágil desenvolvimento psicológico, incluem-se *The Man Within* (1929), *O Expresso Oriente* (1932), *This Gun for Hire* (1936), *O terceiro homem* (1950) e *Nosso homem em Havana*, entre outros. Os "romances sérios" começam com *Brighton Rock* (1938), *O poder e a glória*, *The Heart of the Matter* (1948), *Fim de caso* e *O americano tranqüilo* estão entre os melhores. A distinção criada por Greene é totalmente arbitrária, mas a técnica e o ponto de vista são os mesmos nas duas categorias, as quais abordam com seriedade os dogmas da Igreja Católica e sua influência na vida das personagens. Quase todas as obras do autor se tornaram produções de sucesso também no cinema.

Pontos fortes da obra de Greene são o domínio do tempo da narrativa e a profundidade psicológica das personagens e do sentido religioso, remetendo aos romances de Dostoiévski. O autor escreveu também peças para o teatro, livros infantis, relatos de viagens, ensaios e reportagens.

Gustave FLAUBERT

✯ Rouen, França, 1821
✞ Croisset, França, 1880

Filho de um cirurgião francês, estudou no colégio Real, na França, onde conheceu a literatura através de poemas, reconstituições históricas e romances. Em 1840, freqüentou a faculdade de Direito em Paris, mas abandonou os estudos para viajar à África do Sul e ao Oriente. Depois disso, recolheu-se a um sítio em Croisset, na França, onde viveu solitário por cerca de trinta anos. Um caso de adultério, seguido do suicídio da mulher, inspirou o romance *Madame Bovary*. Pouco compreendido à época, o livro veio a tornar-se um clássico. O prestígio de Flaubert como escritor deve-se, sobretudo, à criação de um estilo literário elegante, rigoroso e claro. Ao questionar a incompreensão burguesa, sua obra tenta superar a herança romântica, estabelecendo os paradigmas do romance ocidental.

Obras principais: *Madame Bovary*, 1857; *Salambô*, 1862; *A educação sentimental*, 1869; *Três contos*, 1877; *Bouvard e Pécuchet*, 1881

Gustave Flaubert
por Maria Luiza Berwanger da Silva

Madame Bovary, c'est moi.
Madame Bovary ou le roman sur le rien.

A obra de Gustave Flaubert, vista como um todo, desloca-se entre estas duas margens, da profunda subjetividade à inapagável negatividade, margens nas quais a voz do sujeito só se faz ouvir para se diluir no indistinto e no inominável, como se o trânsito entre ângulos paradoxais diminuísse o espaço entre fronteiras, espaços e territorialidades. Assim, o projeto literário de Flaubert concede a todo leitor o prazer de compartilhar de singulares paisagens, aquelas que o impacto da leitura possibilita redesenhar.

Permitir ao leitor de hoje experimentar, ampliando-o, o "lazer interior" a que se refere Paul Valéry: eis, em síntese, a sublime sensação a que nos remete a obra de Gustave Flaubert na representação exemplar de *Madame Bovary*, *A educação sentimental*, *A tentação de Santo Antônio* e *Três contos*. Nessas obras, a composição romanesca e a constelação de temas, mitos e motivos tanto identificam o imaginário e a arte da França quanto estabelecem diálogos com literaturas de outras nacionalidades. Acrescente-se a essas aproximações as relações com campos diversos de conhecimento, como medicina, religião, história, sociologia e psicanálise, a título de amostragem, nos quais o prazer do texto emerge justamente da constante insinuação, ao leitor nacional e ao estrangeiro, sobre o real, enigmático e indecifrável em sua totalidade. Põe-se, pois, em Flaubert, a página e o mundo.

Imagem-síntese da obra flaubertiana, *Três contos* e, especialmente, a personagem Félicité, de *Um coração simples*, remete, elucidando-o, ao paradoxo nomeado entre a redução à subjetividade de "Madame Bovary, c'est moi" e a declarada negatividade de "Madame Bovary ou le roman sur le rien". Articulado pelo projeto de reter o fluxo do tempo e do espaço, nesse conto, o ato de empalhar um papagaio "gigantesco" retém, sob o simbolismo dessa busca da continuidade, a busca da memória inapagável e em contínuo refazer-se, gosto que agrega ao título *Um coração simples* o próprio desejo de uma subjetividade que vê e que se vê.

Vasto é todo romance que configura a ilusão dessa constante travessia em busca do diferente e do múltiplo. Envolve-nos Flaubert, em seu processo criador, nessa decifração infatigável do novo, com tal intensidade que toda tentativa de compreender as faces do Outro (estrangeiro) retorna ao leitor, reconfigurando-lhe a própria subjetividade. Esta é a paisagem com que a revisitação de Flaubert brinda seu leitor desde sempre.

Guy de MAUPASSANT

★Touville-sur-Arques, França, 1850
✝ Paris, França, 1893

Nasceu no castelo de Miromesnil, na Normandia. Leu os clássicos desde cedo e completou sua formação no seminário de Yvetot, de onde, expulso, foi transferido para o liceu de Rouen para diplomar-se em Direito. Na Guerra de 1870, quando da invasão prussiana da Normandia, engajou-se no exército francês, o que lhe sugeriu os temas para inúmeros contos. Encerrado o episódio, empregou-se no Ministério da Educação Pública e aproximou-se de Flaubert, que o orientou e o introduziu no mundo literário. Conviveu com Zola, Daudet e Huysmans e colaborou em diversos jornais. Seus romances, contos e novelas focalizam várias camadas da sociedade francesa, criando personagens de estratos sociais populares, como soldados, prostitutas e aldeões. Alguns de seus temas, como a reencarnação e a fantasmagoria, antecipam a literatura fantástica. Como contista, Maupassant serviu de paradigma para o conto do século XX.

Obras principais: *Bola de sebo*, 1880; *A pensão Tellier*, 1881; *Mademoiselle Fifi*, 1882; *A herança*, 1884; *O Horla*, 1887

Guy de Maupassant

por Lúcia Sá Rebello

O conto é a forma narrativa, em prosa, de menor extensão, ainda que contenha os mesmos componentes do romance. Entre suas principais características, podem-se citar a concisão, a precisão, a densidade, a unidade de efeito ou impressão total. O conto precisa causar um efeito particular no leitor: muita excitação e emotividade. As duas figuras fundadoras no desenvolvimento do conto moderno são Guy de Maupassant e Anton Tchekhov.

Um dos mestres do fantástico na literatura, Guy de Maupassant não é muito conhecido pelo público brasileiro. Destacado escritor francês da segunda metade do século XIX, aparece no universo literário de seu país levado pelas mãos do mestre do realismo francês Gustave Flaubert. Sua produção, de qualidade inigualável, é composta, em grande parte, por contos nos quais a atração pelo estranho e pelo mistério assinala o desenrolar dos textos.

O principal aspecto, entre muitos outros, da obra de Maupassant é a variedade de temas abordados. Sua temática principal está centrada no meio urbano, em Paris, na época a capital do Ocidente, focalizando várias classes sociais, tais como as de burgueses, prostitutas, operários, intelectuais, etc. Aventura-se, também, a escrever sobre a vida rural, detendo-se no poder de resistência dos camponeses a uma vida de sacrifícios, fadiga e fome.

As narrativas de Maupassant trazem mensagens, na maioria das vezes, pessimistas. Contribui para tal visão negativa o clima da época em que foram produzidas, ou seja, as seqüelas da guerra franco-prussiana, o desacordo entre os ideais de crescimento científico e econômico e a situação de pobreza das classes menos favorecidas na segunda metade do século XIX.

Os seus contos caracterizam-se por apresentar, quase sempre, um desfecho surpreendente. Ou seja, o final do relato traz algo imprevisto e chocante para o leitor. Tal efeito é conseguido mediante uma linguagem direta e coloquial na qual define, com raras pinceladas, o caráter e a classe social de suas personagens.

Segundo o próprio autor, o escritor que pretende dar ao leitor uma exata imagem da vida deve evitar o encadeamento de fatos que possam parecer fora do comum. O que é extraordinário não faz parte do cotidiano dos leitores, não podendo, portanto, fazer com que se sintam representados naquilo que lêem. O fim primeiro de um escritor não reside apenas em contar uma história, divertir ou entristecer, senão em levar a pensar, a compreender o sentido real, profundo e não-revelado dos acontecimentos. Assim, deverá compor sua obra de tal forma que, hábil, dissimulada e, na aparência, sincera, seja impossível, à primeira vista, descobrir suas intenções.

Como afirma Harold Bloom, Maupassant merece a sua imensa popularidade, pois alguém que criou tanto a sensibilidade de *A pensão Tellier*, quanto o convincente espanto de *O Horla* é um mestre permanente do relato curto.

Vale a pena ler Maupassant? Há quem o julgue um escritor sem profundidade, uma vez que se detém na reprodução do mundo exterior. No entanto, em seus melhores momentos, apanha o que há de mais sutil na realidade, como poucos o fizeram, transformando-a, através de sua seca e objetiva narrativa, em momentos de prazer para os leitores de ontem, de hoje e de sempre.

Henry FIELDING

✯ Sharpham Park, Inglaterra, 1707
✞ Lisboa, Portugal, 1754

Estudou Direito na universidade de Eton, em seu país, e na de Leiden, nos Países Baixos, iniciando a atividade literária com paródias teatrais, interrompidas pela implantação de uma severa censura. Exerceu a advocacia até dedicar-se a escrever narrativas. Seu primeiro romance, *Joseph Andrews* (1742), satirizava o sentimentalismo e o moralismo de Samuel Richardson, criador do romance sentimental inglês. Sua obra mais conhecida, contudo, é *Tom Jones*, que pela vivacidade da narração, pela comicidade das situações, pelo realismo na interpretação dos destinos humanos e pela linguagem coloquial é considerado um dos maiores romances picarescos da literatura ocidental. Os elementos humorísticos e a fina ironia desses textos ultrapassaram os limites da paródia, podendo-se considerar sua obra como crítica social. Fielding foi fundador da tradição realista que predominou no romance inglês até o fim do século XIX.

Obra principal: *Tom Jones*, 1749

Henry Fielding

por Vivian Albertoni

Henry Fielding escreveu comédias que lhe renderam grande sucesso de público e de crítica: elas associavam o riso a uma visão sarcástica da sociedade inglesa do século XVIII. No entanto, essa mesma verve humorística, quando bem-sucedida, pode desagradar às pessoas poderosas. Foi o que aconteceu com Fielding, que provocou reações fortes em um primeiro-ministro – que se sentiu ofendido a ponto de lançar uma lei de censura bastante severa. O outro gênero em que Henry Fielding é considerado mestre – e, na verdade, é esse o gênero que lhe rende fama até hoje – é o romance. *Tom Jones*, especificamente, é considerado uma obra-prima. Trata-se mesmo da melhor obra a se tomar contato quando se deseja compreender a importância do estilo de Fielding.

O primeiro parágrafo do livro é notável por sua disposição de estabelecer, desde o princípio, aquilo que o narrador acredita estar fazendo. Ele aparece sob o título do capítulo I, "Introdução à obra ou lista de pratos do banquete", fazendo uma comparação deliciosamente didática entre um romance e uma refeição oferecida ao público. Segundo o narrador, um autor de romances não deve portar-se como um cavalheiro que dá um banquete de caridade (e que, por isso, está a salvo das críticas à comida), mas como o dono de uma "casa de pasto" – que tem a obrigação de agradar aos clientes.

A singularidade do narrador é traço fundamental do romance: à maneira dos narradores realistas, ele é onipresente e onisciente, no sentido de que pode estar em todos os lugares e, portanto, tudo pode presenciar. No entanto, a palavra-chave para compreendê-lo é justamente *poder* – o narrador até *pode* presenciar os fatos, mas para tanto ele precisa se esforçar; daí muitas vezes o leitor ser advertido de que é preciso que se apressem os dois (narrador e leitor), a fim de que possam partir de um cenário e chegar a outro, e assim observar uma cena que é, na opinião do narrador, imprescindível ao bom andamento de sua história. Disso se depreende que o enredo é de responsabilidade do narrador, porém, as circunstâncias, em si, não. Ele precisa persegui-las e o faz com bastante disposição e muito humor, conduzindo o leitor pela mão. A naturalidade com que dirige a palavra a quem o lê e brinca com a estrutura do próprio romance lembram, em muitos momentos, Machado de Assis – outro "realista" que não se deixa limitar por rótulos e escolas.

Os personagens também possuem independência suficiente para escapar à compreensão total do narrador. Suas atitudes permanecem obscuras ou, mais freqüentemente, dão espaço a momentos de reflexão do narrador em torno da natureza complexa dos seres humanos observados – e, por extensão, da natureza de todos nós, trate-se de narrador, personagens ou leitores.

Henry JAMES

★ Nova York, EUA, 1843
✝ Rye, Inglaterra, 1916

Um dos expoentes da literatura realista de língua inglesa. Sua obra oscila entre a cultura americana e a britânica, com a qual manteve grande afinidade. Fez seus primeiros estudos em diferentes países da Europa, o que lhe proporcionou uma educação esmerada e cosmopolita. Ao retornar aos Estados Unidos, publicou seus primeiros contos em revistas. Em 1875, mudou-se para Paris, onde conviveu com os escritores de seu tempo: Renan, Zola, Goncourt, Daudet, Maupassant, George Eliot, Turguêniev. Desde 1876, passou a residir em Londres. Suas obras constituem um penetrante estudo psicológico de uma civilização corrompida pelo afã de riqueza. É o precursor da moderna ficção, uma vez que introduziu o *flashback* e a narração indireta no romance. *Retrato de uma senhora*, uma de suas obras de destaque, é considerada um "folhetim às avessas", porque narra o destino de uma personagem que se corrompe.

Obras principais: *Retrato de uma senhora*, 1881; *A volta do parafuso*, 1898; *As asas da pomba*, 1902; *A fera na selva*, 1903; *A taça de ouro*, 1904

Henry James

por Ivo Bender

A tradução literal do título *The turn of the screw*, de Henry James, não sugere, nem de longe, o significado expresso em inglês. De fato, "to turn the screw" encerra a idéia de uma tensão opressora que, aos poucos, se agudiza.

Nascido nos Estados Unidos, em meados do século XIX, James viveu grande parte de sua vida na Europa e, segundo algumas fontes, foi no interior da Inglaterra que teria encontrado o material que lhe serviria de tema para a novela.

Autor de vasta obra, será com *A volta do parafuso* que o escritor nos legará um texto canônico, num gênero nem sempre merecedor da necessária atenção.

A consagração da novela e sua admissão na seleta estante das obras *cult* decorrem não somente de um estilo refinado e límpido, mas também do fato de James conduzir com habilidade ímpar o andamento do suspense. A par dessas qualidades, ressalta sua maestria ao lidar com medos arcaicos que envolvem a possibilidade de os mortos estabelecerem uma relação vampiresca com os vivos.

A ação transcorre em Bly, antiga propriedade rural pertencente a um aristocrata sempre ausente. Nesse bucólico cenário, uma preceptora bem-intencionada e sequiosa de afeto, duas crianças a serem educadas, uma governanta generosa e ingênua e dois possíveis espectros dos falecidos empregados Quint e Miss Jessel formam um grupo de figuras que levam o leitor, de capítulo a capítulo, a um insuspeitado império de perversão. Em *A volta do parafuso*, adentramos em um universo no qual as mais belas intenções revertem em seu contrário, e fantasmas inquietos surgem do nada para obsedar os mortais.

Entre os incontáveis efeitos provocados pela novela, sobressaem três obras principais: a adaptação realizada por Truman Capote, dando lugar a um drama denso intitulado *Os inocentes* que, em décadas passadas, teve entre nós uma inesquecível encenação com Dulcina de Morais no papel da preceptora; a inovadora ópera, assinada por Benjamin Britten, estreada em 1954, no Festival de Veneza, que leva o mesmo título da novela; o filme dirigido por Jack Clayton, em meados da década de 1960, com Deborah Kerr no papel da protagonista, o qual também leva o título de *Os inocentes* e é, certamente, uma obra-prima do cinema.

HERMANN HESSE

✲ Calw, Alemanha, 1877
✝ Montagnola, Suíça, 1962

Filho de missionários, Hermann Hesse foi seminarista, operário e livreiro, vindo a dedicar-se, mais tarde, à literatura. Durante a Primeira Guerra Mundial, viveu na Suíça e chegou a engajar-se em atividades subversivas contra o militarismo alemão, adquirindo a nacionalidade suíça em 1923. Conviveu com o psicanalista J. B. Lang, discípulo de Carl Jung, e tal experiência está representada no romance *Demian*, que exerceu influência marcante sobre a Alemanha da época. Os trabalhos que se seguiram revelam o interesse permanente do autor pelos conceitos junguianos de introversão e extroversão, inconsciente coletivo, idealismo e símbolos. Os temas principais de sua obra, considerada emblemática do movimento contracultural dos anos 1960, são: a libertação do homem dos padrões estabelecidos de civilização em busca de seu espírito essencial e a dualidade da natureza humana. Recebeu o Prêmio Nobel de Literatura em 1946.

OBRAS PRINCIPAIS: *Demian*, 1919; *Sidarta*, 1922; *O lobo da estepe*, 1927; *Narciso e Goldmundo*, 1930; *O jogo das contas de vidro*, 1943

HERMANN HESSE
por Gerson Neumann

Hermann Hesse, autor alemão redescoberto e muito comemorado pela geração de 1960, que buscava uma nova orientação, também espiritual, para a sua época. Sua obra caracteriza-se pela intensa introspecção, pelo conflito pessoal sempre à procura de um eu, geralmente solitário e em conflito, porém relacionado com o mundo na natureza e na busca de si mesmo. Trata-se, portanto, de uma obra reflexivo-conflitiva. A obra de Hesse, essa intensa procura por respostas para perguntas relacionadas aos problemas individuais, retrata de certa forma as vivências do autor, que em quase todas as obras deixa características de uma vida bastante atribulada.

Hermann Hesse produziu poemas, contos e romances, mas foi sua produção em prosa que obteve maior sucesso. Das obras mais conhecidas, *Demian* foi a primeira mais comemorada pela crítica literária, tendo sido inicialmente publicada com o pseudônimo Emil Sinclair, cujo narrador em primeira pessoa conta sua infância e adolescência e a busca de sua formação identitária. Partindo de uma rígida educação moral e religiosa, marcada por valores pessoais dilacerados, o narrador procura inconscientemente por uma nova identidade. A obra foi escrita durante um tratamento psiquiátrico do autor com J. B. Lang, discípulo de C. G. Jung. Pode-se dizer que ela traz de maneira quase didática a teoria junguiana a público na ficção.

Outra obra de referência do autor, *Sidarta*, aborda também a procura do eu por uma identificação plena com o mundo e é a discussão de Hesse da filosofia e religião indianas. Seus pais haviam atuado como missionários na Índia, e ele voltou ao país em 1911, depois de romper seu primeiro casamento. O texto traz fragmentos lendários da vida de Buda, com elementos ficcionalizados para a elaboração de um romance de formação psicológico-religioso, que se passa numa Índia em processo de formação religiosa. Na obra, o autor trabalha a busca de uma purificação individual do eu, rompendo com todos os dogmas e crenças, passando pelo antagonismo entre a vida e o espírito para chegar ao próprio supra-humano, novamente a partir das teorias de Jung. Trata-se de um dos textos mundialmente mais lidos do século XX.

A grande obra de Hermann Hesse é *O lobo da estepe*, uma obra de difícil enquadramento quanto ao gênero por ser uma peça única na literatura universal. O romance foi escrito como crítica às sociedades e à indústria de massa dos anos 1920, e a geração de 1960 encontrou no autor um modelo para os seus protestos contra o *establishment*. O romance é composto de modelo caótico, quanto à sua estrutura, pois a troca de perspectiva narrativa é constante, mas há uma musicalidade presente na obra que o próprio autor reconhece e até afirma ser consciente.

Herman MELVILLE

★ Nova York, EUA, 1819
✝ Nova York, EUA, 1891

Filho e neto de escoceses e holandeses, teve uma infância sofrida. Sua mãe, calvinista, era descendente dos primeiros colonizadores de Nova York. Com a morte do pai, a família defrontou-se com sérias dificuldades financeiras, o que o obrigou a trocar seus estudos pelo trabalho. Quase um autodidata, do contato com a pobreza do porto de Liverpool e da experiência como tripulante de um navio baleeiro resultou o enorme apego às coisas do mar. Além disso, sua vida nômade, de marinheiro, possibilitou-lhe conhecer os Mares do Sul, as ilhas Marquesas, o vale do Taipi e Honolulu. De volta à pátria, casou e se estabeleceu, participando da vida literária de Nova York e Boston. A partir de 1850, viveu em Massachusetts, tornando-se amigo e confidente de Nathaniel Hawthorne, com quem representa a chamada "renascença americana". Autor do clássico de aventuras *Moby Dick*, Melville é considerado um dos melhores escritores da literatura ocidental.

Obras principais: *Taipi*, 1846; *Moby Dick*, 1851; *O vigarista*, 1857; *Billy Budd*, 1924

Herman Melville

por Neusa Matte

Durante um período de otimismo, de expansão econômica e de sentimentalismo na sociedade e na literatura norte-americana, Melville surge, ao lado de Hawthorne, como escritor trágico para expressar "a negrura da escuridão". Seus personagens são homens simples, mas capazes de sentimentos grandiosos, tão fortes quanto os nobres personagens das tragédias antigas. Jó, Rei Lear e Édipo Rei, por exemplo, ressurgem em seus romances simbolizando a busca da justiça e da verdade. Seus romances, principalmente *Moby Dick*, preenchem a lacuna do gênero trágico na literatura norte-americana, enquanto *Bartleby, o escriturário*, *The Encantadas* e *Benito Cereno* levam o leitor a refletir sobre o desespero relacionado com a hipocrisia e o materialismo, numa sátira mordaz aos valores corrompidos pelos sonhos comerciais da América do Norte de então.

Moby Dick é considerada a obra mais importante de Herman Melville. O enredo gira em torno da obsessiva caça à baleia branca pelo capitão Ahab, a bordo do navio baleeiro de nome Pequod. Os membros da tripulação do Pequod são vistos pelos críticos como estilizações dos tipos e hábitos humanos dentro do microcosmo simbolizado pelo navio. Ao longo de detalhadas descrições da caça à baleia, o autor dramatiza suas preocupações mais profundas: os defeitos e triunfos do espírito humano, assim como sua fusão com os impulsos criativos e assassinos. Ismael, o narrador, é visto como a voz ou a consciência desse pequeno universo. Sua frase inicial "Chamem-me de Ismael" é uma das mais famosas de toda a literatura de língua inglesa. A baleia branca, ao lado de Ahab, são símbolos ambivalentes do bem e do mal, sendo considerados como metáforas dos impulsos vitais além do nosso autocontrole. Matar a baleia, objetivo maior da vida de Ahab, é uma alegoria dos objetivos de todos nós, assim como sua vingança contra o animal é uma analogia à luta do homem contra o próprio destino.

Melville inaugura, na literatura norte-americana, uma forma de descrição da personagem através do ângulo psicológico, descrevendo os conflitos interiores que determinam suas ações. A construção de seu texto por meio de símbolos e mitos antecipa, de muitas maneiras, as teorias de Sigmund Freud, pois penetra fundo nos conflitos originados por sentimentos como a culpa. Seus personagens carregam uma forte carga simbólica não-ortodoxa e rompem com estereótipos puritanos, razão pela qual se recomenda uma pré-leitura sobre os princípios do Calvinismo e a força do puritanismo na formação da sociedade norte-americana para se entender melhor a ruptura com os estereótipos que o texto de Melville provoca.

Ele também é considerado um precursor do Modernismo. Trata dos conflitos da nova nação, que emergem entre o otimismo e o idealismo da regeneração moral, liberada dos vícios do Velho Mundo, e a realidade brutal, a miséria dos imigrantes, entre aquilo que o homem acredita e o modo como age. Seus símbolos, especialmente *Moby Dick*, se fazem presentes ainda hoje, reescritos em Júlio Verne, Walt Disney, Orson Welles, John Huston, Ray Bradbury, desenhos animados (*Tom e Jerry*), Sam Peckimpah, revista *Mad*, episódios de *Jornada nas Estrelas* (the *Doomsday Machine*, *Obsession*, *Kahn*, *First Contact*), Samuel Delaney, Led Zeppelin, Steven Spielberg, Kurt Vonnegut, videogames (*Skies of Arcadia*), Mastodon (Leviatan), Demon & Wizards, *Starbucks Café*, entre outros.

HOMERO

★ Jônia, Grécia, 850 a.C.
✝ Ilhas Cíclades, Grécia, ?

A Homero se atribuem os dois maiores poemas épicos da Grécia Antiga, que tiveram profunda influência sobre a literatura ocidental: a *Ilíada* e a *Odisséia*. Estabelecidos sob forma escrita no final do século VI a.C., os poemas homéricos, ao mesmo tempo em que refletiram a antigüidade mais remota da civilização grega, projetaram-na adiante com originalidade e riqueza, estando presentes nas mais diversas manifestações da arte, da literatura e da civilização do Ocidente. Ambas as obras têm características comuns absolutamente inovadoras, como a visão antropomórfica dos deuses, a confrontação entre os ideais heróicos e as fraquezas humanas e o desejo de oferecer um reflexo integrador dos ideais e valores da emergente sociedade helênica. Desde o século XVI, as epopéias de Homero ocuparam um lugar preponderante na cultura literária clássica européia e, ainda no século XX, encontram ressonância em escritores e poetas como Ezra Pound e James Joyce.

Obras principais: *Ilíada*; *Odisséia*

Homero

por Marta Barbosa Castro

As epopéias *Ilíada* e *Odisséia* são atribuídas a Homero, figura quase lendária que, até hoje, provoca discussões acirradas sobre sua real existência, se os dois poemas podem ser atribuídos ao mesmo poeta, se é que foi um único poeta quem os fez, ou se foram os aedos que cantavam em celebrações públicas ou privadas e um deles organizou os cantos conhecidos na época.

Deixando de lado as especulações a respeito da figura de Homero, as principais obras que lhe foram atribuídas são consideradas as bases da narrativa ocidental. A partir da epopéia homérica, que era aprendida desde cedo pelos que estudavam grego, outras epopéias seguiram seus passos. O romance, como hoje é conhecido, tem suas origens na epopéia.

Ilíada canta, conforme os versos de abertura, o proêmio, a cólera funesta de Aquiles. O nome *Ilíada* vem de Ilíon, nome de Tróia; a "cólera de Aquiles" se dá quase no fim da Guerra de Tróia, motivo pelo qual muitos críticos entenderam que a epopéia não estaria completa, já que narra uma parte muito pequena da guerra. Hoje, o entendimento é de que a *Ilíada* é uma obra completa no seu conteúdo justamente por se concentrar na cólera (fúria, ira, traduções mais comuns) de Aquiles, conforme expresso no proêmio.

Aquiles, semideus filho da deusa Tétis e do mortal Pelida, melhor guerreiro grego, retira-se da guerra por considerar que Agamenon, chefe dos guerreiros gregos, o teria ofendido ao ficar com uma prenda de guerra, a filha do sacerdote Crises. O fato de Aquiles se retirar da guerra faz com que os gregos sofram derrotas. Também não se pode desconsiderar as forças divinas. Aquiles só volta para a guerra quando Pátroclo, seu amigo, é morto por Heitor, chefe do exército troiano, filho de Príamo e irmão de Páris. Aquiles parte para a vingança e mata Heitor, arrastando-o em torno dos muros de Tróia, uma das passagens mais marcantes da epopéia.

Se *Ilíada*, ao cantar a cólera de Aquiles, conta um pouco da Guerra de Tróia, a *Odisséia*, ao cantar os feitos do astuto Odisseu, conta o final da mesma guerra. É de Odisseu, também conhecido como Ulisses, o estratagema do cavalo de pau. A *Odisséia* conta o retorno de Odisseu para Ítaca, sua terra natal, onde sua mulher Penélope e seu filho Telêmaco o esperam. Esse retorno dura dez anos e é recheado de aventuras, amores, perseguições e auxílios divinos. Uma das passagens mais marcantes é quando Odisseu mata os pretendentes à mão de Penélope.

Além disso, esses textos expressam grande parte do pensamento, dos sentimentos, dos ideais, da religião e dos mitos da cultura grega que foram sendo passados através das gerações e permanecem atuais.

Honoré de BALZAC

✯ Tours, França, 1799
✞ Paris, França, 1850

Honoré de Balzac nasceu em Tours, em 20 de maio de 1799, filho do camponês Bernard-François Balssa (mais tarde Honoré mudou o nome para *Balzac*, precedido de um aristocrático *de*) e de Anne-Charlotte-Laure Sallambie. A mãe de Balzac, 33 anos mais jovem que Bernard, era filha de uma modesta burguesia da província e teve uma relação distante e ao mesmo tempo marcante com o filho mais jovem, Honoré. Ele conheceu na infância e na adolescência a solidão e a dureza dos internatos, onde fez sua formação básica. Formou-se em Direito, profissão que jamais praticou. Aventurou-se em numerosos negócios em busca de fortuna, fracassando nisso de maneira sistemática. Paralelamente ao sonho de enriquecer, escreveu uma das maiores e mais consistentes obras da história da literatura mundial. Morreu em 18 de agosto de 1850.

Obras principais (Quase a totalidade da obra de Balzac foi publicada sob o título geral de *A comédia humana*): *A pele de Onagro*, 1831; *Eugénie Grandet*, 1833; *O Pai Goriot*, 1834; *O lírio do vale*, 1835; *A mulher de trinta anos*, 1835; *Ilusões perdidas*, 1843; *Esplendores e misérias das cortesãs*, 1847

Honoré de Balzac
por Ivan Pinheiro Machado

A comédia humana é o título geral que dá unidade a obra de Honoré de Balzac, composta de 89 romances, novelas e histórias curtas. Esse enorme painel do século XVIII foi ordenado pelo autor em seis subséries: *Cenas da vida privada, Cenas da vida provinciana, Cenas da vida parisiense, Cenas da vida militar, Estudos filosóficos* e *Estudos analíticos.*

A comédia humana é um monumental conjunto de histórias, em que cerca de 2.500 personagens se movimentam por vários livros, ora como protagonistas, ora como coadjuvantes. Genial observador do seu tempo, Balzac soube como ninguém captar o "espírito" do século XVIII. A França, os franceses e a Europa no período entre a Revolução Francesa e a Restauração têm nele um pintor magnífico e preciso. Friedrich Engels, em uma carta a Karl Marx, dizia que "eu aprendi mais em Balzac sobre a sociedade francesa da primeira metade do século, inclusive nos seus pormenores econômicos (por exemplo, a redistribuição da propriedade real e pessoal depois da Revolução), do que em todos os livros dos historiadores, economistas e estatísticos da época, todos juntos (...)".

Tido como o inventor do romance moderno, Balzac deu tal dimensão aos seus personagens que, já no século XVIII, mereceu de Hippolyte Taine, o maior crítico literário do seu tempo, a seguinte observação: "Como William Shakespeare, Balzac é o maior repositório de documentos que possuímos sobre a natureza humana". Esse criador de milhares de personagens foi – quem sabe – o mais *balzaquiano* de todos. Obcecado pela idéia da glória literária e da fortuna, adolescente ainda, convenceu sua família de recursos limitados a sustentá-lo em Paris por no máximo dois anos, tempo suficiente para que ele se consagrasse como escritor e jornalista. Começou a vida literária publicando obras de terceira categoria sob pseudônimo. Era a clássica "pena de aluguel". Escrevia sob encomenda histórias de aventuras, policiais, romances açucarados, folhetins baratos, qualquer coisa que lhe rendesse algum dinheiro.

Somente em 1829, dez anos depois de sua chegada a Paris, Balzac sente-se seguro para colocar o seu verdadeiro nome na capa de um romance. É quando sai *A Bretanha em 1799* – um romance histórico em que tentava seguir o estilo de *Sir* Walter Scott, o grande romancista inglês de seu tempo. Paralelamente à enorme produção que detona a partir de 1830, seus delírios de grandeza levam-no a criar negócios que vão desde gráficas e revistas até minas de prata. No entanto, fracassa como homem de negócios. Falido e endividado, reage criando obras-primas para pagar seus credores em uma destrutiva jornada de trabalho de até dezoito horas diárias. "Durmo às seis da tarde e acordo à meia-noite, às vezes passo 48 horas sem dormir...." queixava-se em cartas aos seus amigos.

Em 1833, teve a antevisão do conjunto de sua obra e passou a formar uma grande "sociedade", com famílias, cortesãs, nobres, burgueses, notários, personagens de caráter melhor ou pior, vigaristas, homens honrados e avarentos, que se cruzariam em várias histórias diferentes sob o título geral de *A comédia humana*. Vale ressaltar que em sua imensa galeria de tipos, Balzac criou um espetacular conjunto de personagens femininos que – como dizem unanimemente seus biógrafos e críticos – tem uma dimensão muito maior do que o conjunto dos seus personagens masculinos.

Aos 47 anos, massacrado pelo trabalho, pela péssima alimentação e o tormento das dívidas que não o abandonaram pela vida inteira, ainda que com projetos e esboços para pelo menos vinte romances, Balzac já não escrevia mais. Consagrado e reconhecido na França e na Europa inteira como um grande escritor, havia construído em frenéticos dezoito anos esse monumento com quase uma centena de histórias. Morreu em 18 de agosto de 1850, aos 51 anos, pouco depois de ter casado com a condessa polonesa Eveline Hanska, o grande amor de sua vida.

Horacio QUIROGA

★ Salto, Uruguai, 1878
✝ Buenos Aires, Argentina, 1937

Durante sua juventude, fez diversas viagens pela Europa, embora tenha passado a maior parte de sua vida na Argentina. Em 1902, já fixado em Buenos Aires, acompanhou o poeta argentino Leopoldo Lugones em uma expedição de quase quatro anos à província de Misiones, no Chaco, lugar que transformou em cenário de suas obras. Seus contos e novelas deixam ler influxos dos mestres da literatura ocidental, como Poe, Maupassant e Kipling. Nessas narrativas, destaca-se a preferência por temas fantásticos, como o horrendo, as alucinações e a loucura, sendo a morte sua temática dominante. As personagens de Quiroga transitam em uma atmosfera sombria e são freqüentemente derrotadas pelas forças naturais, mais determinantes do que suas próprias características psicológicas. Além de inúmeros contos, Quiroga escreveu o *Decálogo do perfeito contista*, no qual enumera preceitos da contística moderna. É um dos precursores do gênero fantástico na literatura hispano-americana.

Obras principais: *História de um amor obscuro*, 1908; *Contos de amor de loucura e de morte*, 1917; *Anaconda*, 1921; *A galinha degolada e outros contos*, 1925; *Uma estação de amor*, 1929

Horacio Quiroga
por Gustavo Melo Czekster

É impossível ler Horacio Quiroga sem saber como a sua vida caminhou lado a lado com a obra. Desde o seu nascimento, esteve cercado pela morte. Quando tinha um ano de idade, seu pai morre vítima de um disparo da própria arma, em circunstâncias nunca esclarecidas. Com oito anos, o padrasto comete suicídio. Aos quatorze anos, Quiroga dispara acidentalmente e mata o seu melhor amigo. Sua primeira mulher cometeu suicídio. Em 1937, aos 58 anos, desenganado por um câncer gástrico, ele próprio se suicida. No entanto, as desgraças não param com a sua morte: em 1939, sua filha Eglé suicida-se; em 1954, o filho Darío igualmente se mata; e, em 1989, comete suicídio Maria Elena, a única filha ainda viva.

A constante proximidade com a morte fez com que o fascínio por um tema tão mórbido se transferisse para os seus contos, recheados por uma atmosfera sobrenatural, tensa, em que a morte surge como destino inevitável e conseqüência lógica do ato de estar vivo. Os contos de Quiroga tratam das fronteiras que separam o amor da morte, a loucura do amor, a selva da civilização. Ao construir hábeis atmosferas psicológicas e juntá-las com o conhecimento teórico consubstanciado no *Decálogo do perfeito contista*, ele faz com que as tramas encham-se de desconforto e nervosismo, sendo que o perigo mora no detalhe e a morte está sempre à espreita.

No conto "À deriva", a natureza surge como parte determinante do conflito humano: majestosa e implacável; os homens lutam contra o ambiente onde vivem, tentando sobreviver a ele sem perder a sanidade. Ainda que submetidos à certeza da morte, os personagens de Quiroga lutam contra ela, em um conflito espelhado pelo misto de fascinação e repulsa que esse assunto infundia na vida do escritor. Destaca-se na obra de Quiroga as inversões do foco narrativo, como no conto "A insolação", narrado por um cachorro. Seguindo os temas de Maupassant e Edgar Allan Poe e transferindo-os para a selva, Horacio Quiroga foi um dos responsáveis pelo surgimento da literatura fantástica latino-americana.

Ítalo CALVINO

✭ Santiago de Las Vegas, Cuba, 1923
✞ Siena, Itália, 1985

Nascido em Cuba, mudou-se para a Itália ainda na infância, sendo considerado um dos escritores italianos mais importantes do pós-guerra. Pertenceu ao Partido Comunista, atuando na resistência italiana durante a Segunda Guerra Mundial. Ao término do conflito, foi morar em Turin, onde se formou em Literatura, ao mesmo tempo em que atuou como jornalista e editor de periódicos. Após sua estréia literária, de tendência realista, Calvino alcançou a fama internacional com a publicação de *Nossos antepassados* (1951-1959), trilogia narrativa de inspiração filosófica composta por *O visconde partido ao meio*, *O barão nas árvores* e *O cavaleiro inexistente*. Nessa trilogia, o escritor recorre a elementos irreais para criar um ambiente de fábula em seu comprometimento com a realidade. Posteriormente à sua morte, em 1991, foi publicado um volume com suas dissertações sobre poética, apresentadas na Universidade de Harvard, sob o título de *Seis propostas para o próximo milênio.*

Obras principais: *O visconde partido ao meio*, 1951; *O barão nas árvores*, 1957; *Contos*, 1958; *O cavaleiro inexistente*, 1959; *As cidades invisíveis*, 1972

Ítalo Calvino

por Cíntia Moscovich

Nascido em Santiago de Las Vegas, Cuba, em 1923, filho de pais italianos, morto devido a um derrame cerebral na cidade de Siena, aos 62 anos, Ítalo Calvino é aclamado como um dos maiores escritores europeus do século XX. Indo morar na Itália aos dois anos de idade, participou da resistência ao fascismo e foi membro do Partido Comunista até 1956. Logo interessou-se pela literatura e pelo jornalismo, colaborando com vários periódicos. Firmando-se como romancista, Calvino abandonou o fundo ideológico e engajado, sem jamais relegar um profundo sentimento de humanidade e de sentido de humor.

Autor de obras como *Se um viajante numa noite de inverno* (1979), *O visconde partido ao meio*, *As cidades invisíveis* e *O cavaleiro inexistente*, entre outras, iniciou sua carreira com narrativas de extração neo-realista. A seguir, enveredou pelo fantástico, engendrando tramas em que linguagem e fabulação ganham o mesmo destaque. Da linhagem de Franz Kafka e Jorge Luis Borges, Calvino aprimorou um estilo que flerta bem de perto com a poesia, em imagens tão belas quanto potentes – paródias impressionantes da existência e de suas singularidades. Em *As cidades invisíveis*, obra que se tornou uma espécie de "livro de culto" de mais de uma geração, especialmente no Brasil, Calvino recria o encontro entre o navegador-aventureiro Marco Polo e o conquistador mongol Kublai Khan. Em uma narrativa que concentra dosagens poderosas de lirismo e invenção, descreve cidades que são impossíveis, mas que se tornam necessárias e imprescindíveis.

Pensador lúcido e ágil, Calvino também é respeitado por suas idéias acerca da literatura e do esfacelado século em que viveu. Em *Seis propostas para o próximo milênio*, obra que reúne as conferências que preparou para a Universidade de Harvard, está registrado o verdadeiro testamento intelectual do autor. Proferidas um pouco antes de sua morte, em 1985, as conferências identificam as seis virtudes que apenas a literatura pode salvar: leveza, rapidez, exatidão, visibilidade, multiplicidade e consistência. Qualidades que se aplicam não só à literatura, mas também à vida cotidiana neste planeta.

Jack LONDON

✯ San Francisco, EUA, 1876
✞ Glen Ellen, EUA, 1916

Pseudônimo de John Griffith, trabalhou como jornalista e correspondente de guerra. Sua vida foi rica em experiências: trabalhou como pescador e pesquisador de ouro no Alasca, chegando a tornar-se vagabundo de estrada. Socialista, sua obra literária caracteriza-se pelo relato de episódios de força primitiva, ou de aspectos brutais e vigorosos que articulou em contos e romances. A vida aventureira, entre os que buscavam o ouro nos confins do Yukon, forneceu-lhe material para a maior parte de sua ficção. Combinando experiências pessoais com as idéias evolucionistas de Darwin e de Spencer, mais as técnicas estilísticas colhidas nas obras de Rudyard Kipling, produziu obras de sucesso, desde a sua estréia com *O filho do lobo* (1900). Ao longo de sua vida, escreveu intensamente, produzindo cinqüenta livros em dezessete anos.

Obras principais: *O chamado da floresta*, 1903; *O lobo do mar*, 1904; *Caninos brancos*, 1906; *Antes de Adão*, 1907; *De vagões e vagabundos*, 1915

Jack London

por Ana Esteves

Como a figura do lobo diante de sua presa, Jack London abocanhou o mundo e, com a mesma voracidade que o devorou, transformou-o em literatura. Foram mais de cinqüenta livros, entre novelas, contos, ensaios e reportagens, escritos em apenas dezessete anos, com a mesma avidez e com a mesma intensidade com que London vivia sua vida. De forma magistralmente criativa, sua obra é resultado de um emaranhado de experiências pessoais, recheada de temas que o autor conheceu na prática. De um lado, nos deparamos com o olhar de um escritor politicamente engajado com a realidade social mutante de sua época que, para retratar a situação de exclusão e miséria dos habitantes do East End londrino, se faz passar por um deles. Sua obra está fortemente marcada pelo prisma do socialismo; nela o escritor/repórter narra com detalhes situações de desigualdade social, enfatizando as principais questões sociais e políticas então vigentes: a expansão imperialista, a exploração do trabalho, a concentração de riqueza. Sob esse viés, nos deparamos com um autor que produziu ensaios e contos altamente significativos, inseridos no debate político de sua época. Essa faceta de London se revela em contos como "The Apostate", em que se mostra inconformado com a exploração do trabalho infantil nos Estados Unidos, ou em "The Mexican", em que expressa simpatia pela Revolução Mexicana.

Jack London, porém, é muito mais. Trata-se de um autor que, mesmo comprometido com suas convicções político-ideológicas, lança-se à ficção, às narrativas de viagens e aventuras, baseadas em suas andanças pelo mundo. Sua composição é enriquecida pelo contato direto com outras culturas, diferentes regiões e tipos humanos, como quando relata suas experiências como marinheiro na Ásia, ou contextualiza suas narrativas em lugares pitorescos como o Alasca, onde trabalhou como garimpeiro. Assim ele se tornou conhecido, com seus romances e contos vigorosos sobre aventuras vividas em lugares exóticos e selvagens, sem esquecer, é claro, sua veia fantástica. Toda a vivacidade impressa em suas narrativas é reflexo da mentalidade de um escritor – como ele próprio define – que deseja ser convencido pela evidência dos próprios olhos e não pelos ensinamentos de quem não havia visto, ou pelas palavras dos que o tinham.

James Fenimore COOPER

✭ Burlington, EUA, 1789
✞ Cooperstown, EUA, 1851

Viveu sua infância numa fazenda em Cooperstown, em contato com índios e pioneiros. Estudou em Albany e cursou a universidade de Yale. Mais tarde, ingressou na marinha e conheceu a Europa. Primeiro romancista dos Estados Unidos, seu romance *O último dos moicanos* tem por cenário a guerra entre ingleses e franceses, no século XVIII, pela posse do território norte-americano. Seu enredo desenvolve-se em torno de duas moças, filhas de um general inglês. A personagem principal, que aparece em vários de seus livros, é Natty Bumppo, figura típica do herói épico. Pastores anglicanos cantadores de salmos, militares, oficiais e soldados, caçadores, tribos indígenas a serviço dos ingleses e dos franceses compõem a galeria de personagens. Cooper influenciou o romance romântico de aventuras, servindo de inspiração para escritores como José de Alencar. Sua obra foi bastante divulgada no século XX através do cinema norte-americano.

Obras principais: *Os pioneiros*, 1823; *O último dos moicanos*, 1826; *A pradaria*, 1827

James Fenimore Cooper
por Maria Eunice Moreira

A vida desse famoso escritor norte-americano foi tão movimentada quanto as aventuras que narra em seus livros. Filho do federalista William Cooper, James foi enviado para a universidade de Yale a fim de se preparar para dar prosseguimento à carreira política do pai. Expulso da universidade, tornou-se marinheiro e viajou para a Europa. Em 1810, após deixar a marinha, passou por uma fase difícil: seu pai e seus cinco irmãos mais velhos morreram, o que o tornou administrador da propriedade da família, em Wetchester, lugar onde viveu durante alguns anos.

Cooper publicou seu primeiro livro, *Precaução*, em 1820. A estréia não foi bem-sucedida, mas isso não o desanimou e, em seguida, publicou seu segundo livro, *O espião*, com o qual começou a conquistar reputação. Foi, porém, com a terceira obra, *Os pioneiros*, que o autor alcançou sucesso, introduzindo a personagem de Natty Bumppo, que o acompanharia em outros livros. Em 1826, já era um escritor bem-sucedido, mas esse ano, em especial, seria muito significativo em sua carreira: acrescentou Fenimore a seu nome, passando a se chamar, desde então, James Fenimore Cooper e publicou a obra que lhe deu fama e lugar na história da literatura, *O último dos moicanos*. Com esse livro ficou tão famoso, que o compositor Franz Schubert, já quase ao final da vida, em 1828, pediu a um amigo que comprasse para ele a obra do escritor norte-americano.

O último dos moicanos decorre durante a guerra travada entre os franceses e os ingleses pela posse do território norte-americano no século XVIII. Seu enredo, que envolve brancos e índios, homens selvagens e civilizados, retoma a personagem de Natty Bumppo, que vai aparecer em outros livros de Cooper, e movimenta-se também em torno de duas moças, filhas de um general inglês, que estão sendo levadas para junto de seu pai, ante a ameaça de invasão do forte em que se encontravam. A luta pelo território, a oposição entre civilização e barbárie e a atmosfera romântica garantiram a popularidade e o sucesso que essa obra alcançou em outros países. No Brasil, foi lida pela geração dos românticos e influenciou os primeiros romancistas, sobretudo José de Alencar, que aproveitou, em seus romances, a fórmula de seu bem-sucedido colega norte-americano.

Cooper foi um escritor muito produtivo: publicou trinta e duas novelas, doze trabalhos de não-ficção, uma peça de teatro, panfletos e artigos. Seu legado mais importante à literatura norte-americana encontra-se nos cinco livros sobre Natty Bumppo, que colaboraram para compor o imaginário sobre os índios, nos primeiros tempos da história dos Estados Unidos.

James JOYCE

★ Dublin, Irlanda, 1882
✝ Zurique, Suíça, 1941

Diplomado em Letras pela Universidade de Dublin, escreveu poemas, peças para o teatro, contos, romances e ensaios. Seu interesse pela literatura foi despertado pelo teatro de Yeats e Ibsen. Em 1902, viajou para Londres e Paris, voltando posteriormente a Dublin. Imortalizou o dia 16 de junho de 1904 nos dezoito episódios do romance *Ulisses*, obra que inaugurou a técnica do monólogo interior na literatura ocidental. Segundo a crítica, os temas abordados por Joyce eram incômodos à sociedade vitoriana da época. Depois da publicação de *Ulisses*, dedicou-se à sua obra magna, *Finnegans Wake*. Trabalhando a partir de um número infinito de notas e apontamentos, realizou uma longa articulação formal fragmentada e caleidoscópica, que envolve inúmeros discursos e estranhos vocábulos, incluindo-se neologismos, inventados com base nos seus conhecimentos de línguas clássicas. Sua obra revolucionou a concepção da moderna narrativa ocidental.

Obras principais: *Dublinenses*, 1914; *Retrato do artista quando jovem*, 1916; *Ulisses*, 1922; *Finnegans Wake*, 1939

James Joyce

por Donaldo Schüler

Joyce freqüenta textos do Ocidente e do Oriente, presentes e passados. Como foi possível escrever *Finnegans Wake*? Os ventos que sopram em torno das sepulturas ao final das guerras napoleônicas no primeiro capítulo são os da regeneração. A ave que junta fragmentos lembra Ísis a recolher os pedaços de Osíris, ou *ba*, a alma que retorna para reavivar os corpos. Recolhidos, os textos renovam o vigor da escrita. Recolher, reinterpretar, recompor, esse é o trabalho do escritor. Trazendo de outros lugares para esse lugar, traduz. Babel ergue-se como símbolo da diversificação de línguas e da proliferação de textos. O romancista padece o dilaceramento. Unir militarmente, ação do império britânico, é a solução? Joyce age democraticamente. Convoca todos para unir o que se estilhaçou.

O registro dos acontecimentos mundiais, realizado da esquerda para a direita (do Gênesis ao Apocalipse), culmina em Deus (*God*). Se invertemos o caminho, no rumo da dessacralização ocidental, chegamos ao cão (*dog*). Dante escreveu da esquerda para a direita. Balzac escreveu da direita para a esquerda. A opção de Dante, por navegar do presente ao passado remoto, divino, produz uma divina comédia. Pela rota de Balzac chegamos ao presente prosaico, à comédia humana. Como para Joyce os contrários (*God-dog*) não se excluem, giramos, por círculos viconianos, da esquerda para a direita e da direita para a esquerda. A tradução, incorporada na arquitetura de *Finnegans Wake*, nos leva de Dante a Balzac e de Balzac a Dante. Reunindo o sagrado e o profano, o romance abre caminhos a associações imprevistas, sedentas de sentido: *caosmos*.

A arte de escrever, recente, marca a passagem da selvageria ao barbarismo. Selvagens servem-se de estiletes tirados da floresta. Bárbaros, dominando o fogo, traçam a carvão. O homem distancia-se da escrita natural para construir outros universos. As palavras grafadas não repetem as inscrições em rochas ou troncos. A ignorância treme nos traços de quem escreve, frustra projetos, adia planos. Vigia na deficiência e no excesso. Os períodos de *Finnegans Wake* alinham-se na busca de hipotética pacificação futura. Selvagem é também o mundo que ao despertar deixamos. Não se espere relato fiel das lutas travadas nos subterrâneos. A verdade não está só nos ritmos inventados. Verdadeiros somos também quando tropeçamos, quando a falta de palavras expõe buracos, quando o equilíbrio é precário. O que relatamos se passa nos limites da civilização, da barbárie e da selvageria.

Jane AUSTEN

★ Steventon, Inglaterra, 1775
✞ Winchester, Inglaterra, 1817

Filha de um pastor anglicano, pertencente à aristocracia rural inglesa, encontrou, na experiência de viver em um presbitério, material suficiente para a criação de narrativas. Em sua obra, trata o cotidiano de pessoas comuns, contribuindo para dar ao romance inglês o primeiro impulso para a modernidade. Sua aguda percepção psicológica revela-se na ironia do estilo, dissimulado pela leveza da narrativa. Com temas de aparente trivialidade, criou romances de amor, construindo um mundo denso. Neles a ação, o senso cômico e a técnica do ofício oferecem um quadro de crítica social contrário à falsidade, à vulgaridade e à presunção. Sua obra mais conhecida, *Orgulho e preconceito*, mostra a superação das barreiras de diferença social, colocando em evidência o escasso poder de decisão concedido à mulher.

Obras principais: *Razão e sensibilidade*, 1811; *Orgulho e preconceito*, 1813; *Emma*, 1816; *A abadia de Northanger*, 1817; *Persuasão*, 1818

Jane Austen

por Elizamari R. Becker

A permanência de Jane Austen junto ao público leitor pode ser explicada, em primeiro lugar, pela natureza de seu confronto com os romancistas de sua época, mostrando-se ela bastante sensível ao gosto literário em voga ao escrever *A abadia de Northanger*, no qual satiriza o romance gótico. Em segundo lugar, pelo caráter de modernidade conferido ao conjunto de sua obra, como resultado da escolha de temas que circulam em torno de pequenos núcleos de pessoas aparentemente comuns, em cenários também limitados, e que focalizam pequenos incidentes da vida cotidiana.

De natureza recatada, Jane Austen viveu uma vida pacata e sem grandes acontecimentos, o que lhe rendeu estudos biográficos que a apontam como contemplativa, devido à ambientação quase claustrofóbica de seus romances. Em razão disso, sua arte tem sido designada miniaturista. Suas personagens são provincianas de classe média, cuja maior preocupação parece girar em torno do casamento – casamento por amor, segurança financeira, *status* social –, tema que ela explora com uma ironia sutil e um humor refinado. Sua apurada visão acerca dos relacionamentos humanos, retratando com vivacidade a vida da classe média britânica do século XVIII, trouxe para sua obra de ficção uma sensível mudança na caracterização das personagens femininas. Suas heroínas são, apesar de sua condição social pouco confortável, fortes a ponto de não se sujeitarem ao que a sociedade delas espera, quando não travam uma luta íntima intensa contra os próprios sentimentos, como as heroínas em *Emma* e *Orgulho e preconceito*. Também não são belas, ou pelo menos não possuem a beleza frágil e enternecedora que a maioria das heroínas românticas normalmente exibem. Assim o são Elizabeth Bennet, de *Orgulho e preconceito*, cuja beleza é descrita como *tolerável*, e Catherine Morland, de *A abadia de Northanger*, descrita como "uma magricela de aparência desajeitada, pálida, de cabelos escuros escorridos e feições marcadas".

Sandra M. Gilbert e Sandra Gubar, em seu *The Madwoman in the Attic*, logram aproximá-la a outras escritoras de sua época – tais como Charlotte e Emily Brontë, Mary Shelley, Emily Dickinson e outras – no maior desconforto de que compartilham: a angústia da autoria. Toda uma tradição literária que só concebia textos oriundos de uma autoria masculina e patriarcal forçou-a ao anonimato, mas não a impediu de criticar os danos causados às mulheres inseridas em uma cultura criada por homens e para homens. Esse poder econômico, social e político masculino vê-se representado em sua obra nas muitas dramatizações de como importa à sobrevivência da mulher saber angariar a aprovação e a proteção dos homens, bem como buscar aqueles que sejam mais sensíveis, embora permaneçam como representantes de toda a autoridade. Dessa forma, Austen soube representar como nenhuma outra escritora de sua época tanto o papel de subordinação da mulher na sociedade patriarcal, quanto suas restritas – ainda que existentes – ações no sentido de melhorar sua condição no cenário familiar e social.

J. D. SALINGER

⋆ Nova York, EUA, 1919

Após cursar, por breves períodos, as universidades de Nova York e Columbia, iniciou suas atividades literárias, publicando contos em diversos periódicos. Entre 1942 e 1946, prestou serviço no Exército Americano e combateu na Segunda Guerra Mundial. Salinger obteve prestígio com a publicação de histórias fundadas em suas experiências durante a guerra. A confirmação do sucesso veio com a publicação de *O apanhador no campo de centeio*, romance em que aborda a sociedade e os dilemas da juventude americana, representada por um jovem sensível, idealista e rebelde. Na década de 1950, retirou-se da vida pública para levar uma vida anônima de homem do campo, afastado da curiosidade de admiradores. Apesar de não freqüentar os círculos literários e da reduzida produção de livros, J. D. Salinger exerceu forte influência no romance americano do século XX.

Obras principais: *O apanhador no campo de centeio*, 1951; *Nove histórias*, 1953; *Franny and Zooey*, 1961; *Carpinteiros, levantem bem alto a cumeeira e Seymour: uma apresentação*, 1963

J. D. Salinger

por Daniel Feix

Uma única frase basta para justificar plenamente a presença de um autor de tão poucos livros como Salinger em uma lista dos maiores clássicos da literatura universal: ele e sua obra mais célebre constituem a maior referência para uma corrente literária praticada em abundância em diversos cantos do mundo e em todos os gêneros/meios possíveis (romances, poemas, roteiros de tevê e cinema). Há pelo menos um pouco de Holden Caulfield, o protagonista de *O apanhador no campo de centeio*, em personagens principais de séries populares como "Cidade dos homens", de livros de jovens autores como Marcelo Mirisola, de criações de artistas multimídia como Jorge Furtado, de *best-sellers* como o alemão *Crazy* (que originou o filme de mesmo nome), e assim por diante.

Considerado o primeiro e mais importante romance moderno sobre a crise da adolescência, *O apanhador* é uma verdadeira experiência que acabou transcendendo a literatura. É referenciado em campanhas publicitárias e até pelo assassino de John Lennon, Mark Chapman, que disse ter encontrado em suas páginas uma mensagem subliminar, espécie de ordem do autor para que ele matasse o Beatle. Foram mais de quinze milhões de cópias vendidas (em 1951!), elogios, debates, repercussão em todos os meios e uma crise de consciência: pouco depois de escrevê-lo, Salinger abandonou a vida na civilização. Foi morar recluso nas montanhas (localidade de Cornish, New Hampshire), em uma cabana sem luz nem água encanada, longe de tudo e de todos. Especialmente das discussões envolvendo sua obra.

Antes disso, Salinger já havia publicado diversos contos em periódicos como a *New Yorker* (os melhores estão no volume *Nove histórias*), passado por um casamento curto, mas traumático, com uma ex-funcionária do Partido Nazista (seu pai era judeu) e servido ao Exército Americano na Segunda Guerra Mundial (à força). Quando resolveu pôr no papel a aventura e as rebeldias de Caulfield, os Estados Unidos viviam um período de ressaca do conflito e *boom* da Guerra Fria. Na literatura, ecoavam os berros dos personagens desbocados da geração *beat*. Criminosos revoltados como Bonnie & Clyde já não faziam mais a cabeça dos americanos como nos tempos pós-depressão de 1930. Ainda assim, o momento (do país e também do escritor) era propício para o surgimento de alguém como o jovem desajustado Holden.

A característica mais marcante e copiada de *O apanhador*, no entanto, que é a narrativa em primeira pessoa, não é o que Salinger tem de melhor. Os autores que reproduzem a descarga de consciência de Caulfield podem não se dar conta, mas ali está um texto tecnicamente irrepreensível, praticamente sem ecos, repetições ou lugares-comuns. A escrita fluente, de ritmo adequado e palavras escolhidas a dedo, talvez seja a sua maior virtude. Perfeccionista, Salinger tinha dificuldades para lidar com defeitos ou deslizes que eventualmente pudesse cometer. Da mesma forma que, ainda hoje, quase aos noventa anos, tem dificuldades para lidar com os defeitos ou deslizes dos outros, do alto de sua casa isolada na serra.

João GUIMARÃES ROSA

☆ Cordisburgo (MG), Brasil, 1908
✝ Rio de Janeiro, Brasil, 1967

Médico de formação, ingressou em 1934 na carreira diplomática e ocupou vários postos nas embaixadas brasileiras em Hamburgo, Paris e Bogotá. A zona do Urucuia, onde passou a infância, é o principal cenário de suas obras. A publicação do livro de contos *Sagarana*, em 1946, consagrou-o como escritor. Sua obra caracteriza-se pela estilização das peculiaridades lingüísticas do sertão mineiro, pois funde esse universo cultural com a cultura cosmopolita do escritor. Aproximando-se da linguagem poética, seus textos reúnem um grande acervo léxico, de que extraiu todos os efeitos possíveis de ritmo, eufonia e plasticidade. É considerado o renovador da moderna literatura brasileira. O auge dessa realização é *Grande sertão: veredas*, seu único romance, no qual a psicologia das personagens determina o modo de narrar e transforma a tradição regional, ampliando-a para outras dimensões.

Obras principais: *Sagarana*, 1946; *Corpo de baile*, 1956; *Grande sertão: veredas*, 1956; *Primeiras estórias*, 1962; *Tutaméia: terceiras histórias*, 1967; *Estas estórias*, 1969

Guimarães Rosa
por Luiz Roberto Cairo

Ficamos sem saber o que era João
e se João existiu
deve pegar.

Carlos Drummond de Andrade

Com nome de flor, filho de Flordardo e Francisca, João Guimarães Rosa nasceu, sob o signo de câncer, nas Minas Gerais. Meio bruxo e amigo de toda sorte de gatos, onças, jaguatiricas e que tais, enfeitiçou, através da magia dos nomes, crianças, adolescentes e adultos. Sob o signo de escorpião, virou encantado, três dias após tornar-se imortal na Academia Brasileira de Letras, no Rio de Janeiro, uma vez que as pessoas não morrem, conforme dissera no seu famoso discurso de posse naquela casa.

Suas estórias, como costumava nomeá-las, pelo fato de serem relatos de acontecimentos fictícios e não registros de fatos reais da história, são muitas. Há quem as considere difíceis de serem lidas, mas, na verdade, elas são lúdicas e, como todos os jogos e brincadeiras, só têm graça se oferecerem desafios permanentes, por isso valem a pena.

A magia de dar nome às coisas fascinava Rosa de tal maneira que não havia fronteiras lingüísticas no universo de sua linguagem. Saboreava nomes das mais variadas línguas na busca de expressar o indizível, já que vivemos sob custódia da língua que nem sempre permite dizer o que queremos. Nesse sentido, foi um refinadíssimo degustador de palavras.

As estórias de Rosa nos remetem a estórias que estão no inconsciente coletivo dos leitores brasileiros e de outras bandas do mundo. São estórias de onde brotam vozes que mesclam lendas, mitos regionais, nacionais e internacionais, intertextos que conferem um teor de universalidade ao cenário do sertão de Minas Gerais, Bahia e Goiás, onde se enredam e desenredam suas fábulas.

Grande sertão: veredas, a saga do jagunço Riobaldo e Diadorim, seu grande amor, é sua novela mais extensa e, por isso mesmo, não deve ser a entrada mais adequada para o leitor iniciante no universo rosiano. As estórias de *Sagarana*, *Primeiras estórias*, *Tutaméia*, *Estas estórias* ou *Corpo de baile*, título que engloba os três volumes de estórias intituladas *Manuelzão e Miguilim*, *No Urubuquaquá, no Pinhém* e *Noites do sertão* são opções interessantes para quem quer iniciar-se como leitor de Rosa, mas as 21 estórias de *Primeiras estórias* talvez sejam a melhor porta de entrada. Trata-se de um livro de estrutura circular, cuja primeira estória, "As margens da alegria", relaciona-se com a última, "Os cimos", através do mesmo protagonista, um menino que desvenda a vida. Nas dezenove estórias, que constituem o miolo do livro, encontram-se pequenas obras-primas como "Famigerado", "Soroco, sua mãe, sua filha", "A menina de lá", "A terceira margem do rio", "Um moço muito branco" e "Substância". Vale a pena observar o sumário ilustrado do artista plástico Luís Jardim, reproduzido em todas as edições, sintetizando as tramas das estórias.

Johann Wolfgang von GOETHE

✶ Frankfurt, Alemanha, 1749
✞ Weimar, Alemanha, 1832

Vindo de uma família de certo poder econômico, estudou Direito nas universidades de Leipzig e Estrasburgo. Devido à grande repercussão do seu livro *Os sofrimentos do jovem Werther*, passou a morar na corte de Weimar em 1775, onde foi responsável por vários cargos políticos. Sua obra mais famosa é certamente *Fausto*, publicada em duas partes: a primeira, mais conhecida, em 1808 e a segunda em 1833. Desenvolveu vários projetos literários junto com Friedrich Schiller, entre 1784 e 1805, ano de seu falecimento. É considerado um autor romântico em muitos países, apesar de, na Alemanha, ser visto como autor de duas fases distintas: autor de *Sturm und Drang* (Tempestade e ímpeto, movimento romântico alemão) na juventude e, mais tarde, representante do classicismo.

Obras principais: *Os sofrimentos do jovem Werther*, 1774; *Os anos de aprendizagem de Wilhelm Meister*, 1795; *Fausto*, 1808; *As afinidades eletivas*, 1809; *Poesia e verdade*, 1830; *Máximas e reflexões*, 1840; *Doutrina das cores*, 1808-1810

Johann Wolfgang von Goethe
por Michael Korfmann

Johann Wolfgang (von) Goethe é certamente um dos autores alemães de importância mundial inquestionável. Estudou Direito, foi poeta, pesquisador na área das ciências naturais e ministro na corte de Herzog Carl August, no condado de Sachsen-Weimar-Eisenach, onde recebeu o título de nobreza, tendo sido acrescentado o "von" em seu nome. Sua importância pode ser vista sob duas perspectivas: uma que aponta para o seu *status* canônico na área literária propriamente dita e outra que diz respeito ao seu papel como referência cultural. O último item pode ser conferido, por exemplo, em prêmios importantes, como o *Goethe-Preis* da cidade de Frankfurt, estabelecido em 1927 e cedido ao longo dos anos a personalidades como Albert Schweitzer, Sigmund Freud ou Max Planck.

Nesse contexto, vale também lembrar instituições culturais alemães como o Instituto Goethe, atualmente presente em 141 institutos em 80 países, o qual adotou esse nome em 1951 na tentativa de restabelecer uma representação cultural distante do fascismo com todas as suas atrocidades. Assim, a escolha do nome de Goethe refere-se sobretudo a sua programação de uma literatura universal e aberta a tendências múltiplas, ao diálogo entre os povos e ao humanismo tolerante. A importância de Goethe para a literatura mundial confirma-se, por exemplo, através de sua presença em todas as propostas canônicas da literatura universal. Além de sua extensa produção literária, Goethe desenvolveu uma gama de diferentes áreas, atividades e projetos artísticos e científicos.

Por isso, foi chamado freqüentemente de "último representante universalista", ou seja, aquele que abrange quase todas as áreas do conhecimento, tentando integrar, de forma comparatista, resultados obtidos nas diversas áreas comunicativas. Conforme o autor, sem "minhas pesquisas no âmbito das ciências naturais, nunca teria compreendido os homens da mesma maneira". Goethe realiza e acompanha de modo exemplar a transição da ordem feudal antiga para a sociedade burguesa moderna com sua diferenciação social em áreas específicas. Destacados aqui são dois projetos literários desenvolvidos durantes grande parte de sua vida: o *Fausto*, cuja segunda parte Goethe termina apenas em 1831, e os romances de formação *Os anos de aprendizagem de Wilhelm Meister* e *Os anos de caminhada de Wilhelm Meister*, concluído em 1829.

Essas obras dirigem um olhar sem ilusão, mas não sem esperança, sobre a época emergente do "unilateral", da especialização, bem como do "homem máquina", sobretudo em relação à formação (*Bildung* em alemão) do indivíduo burguês e a seus conflitos com a nova ordem social em ascensão. Por essa razão, suas inovações literárias são freqüentemente indícios das mudanças históricas de mentalidade. Em termos poético-históricos, Goethe mostrou seu impacto, antes de tudo, em duas ocasiões: primeiro, como destaque da literatura do movimento *Sturm und Drang* (Tempestade e ímpeto), inserindo, com seu romance *Os sofrimentos do jovem Werther,* de 1774, a literatura alemã no âmbito internacional. A segunda refere-se à sua colaboração com Friedrich Schiller, que, apesar da relativamente curta duração, fundou o chamado "classicismo alemão", objetivando contrapor a "confusão humana", momentos utópicos de reconciliação e um humanismo potencial puro.

John STEINBECK

☆ Salinas, EUA, 1902
✞ Nova York, EUA, 1968

Freqüentou a Universidade de Stanford, entre 1920 e 1926, mas não chegou a graduar-se. Seu gosto pela literatura, no entanto, teve início na adolescência, quando leu Dostoiévski, Milton, Flaubert, George Eliot e Thomas Hardy, por influência dos pais. Exerceu diferentes profissões antes de se tornar escritor, o que contribuiu para tornar autênticos seus temas preferenciais, relacionados com a saga dos trabalhadores agrícolas, itinerantes e sazonais, e a exploração a que eram submetidos. Em linguagem direta, seus romances relatam o sofrimento das classes trabalhadoras, atraídas pela ilusão do emprego e da fartura. Recebeu o Prêmio Pulitzer em 1939 pelo romance *As vinhas da ira*. A obra de Steinbeck foi muito difundida a partir dos anos 1940, devido, em parte, ao interesse de Hollywood em adaptar alguns de seus romances para o cinema. Em 1962, recebeu o Prêmio Nobel de Literatura.

Obras principais: *Ratos e homens*, 1937; *As vinhas da ira*, 1939; *A leste do Éden*, 1952; *O inverno de nossa desesperança*, 1961

John Steinbeck
por Gerson Neumann

O único exemplar da peça-novela *Ratos e homens* quase foi destruída pelo pequeno e, segundo o próprio Steinbeck, muito crítico cão Toby quando ela estava pronta para ser entregue ao editor. Para o autor a peça não representava algo fabuloso a ponto de se tornar uma obra de referência. Escrita numa linguagem simples, como uma peça em forma de romance, porém com muitos diálogos, tornar-se-ia universal antes ainda de sua obra mais famosa, *As vinhas da ira*. Devido à sua forma, seria possível encená-la sem grandes perdas no palco e, na leitura como obra em formato de livro, por sua vez, não haveria a dispersão, normal em textos escritos para peças. As figuras, em *Ratos e homens*, são tipificadas e parecem até simples demais, mas não chegam a ser maçantes, tanto que numa segunda leitura é possível detectar aspectos de tensão e momentos macabros, como as mortes do cão de Candy e Lennie. Steinbeck usa a técnica da paralisação e do pressentimento nessa peça, como acontece logo nas primeiras páginas do livro, quando a primavera ainda traz sinais do inverno em declínio. Contudo, essa forma direta, simples e rica em diálogos, que o próprio autor considerava não ter sido elaborada com sucesso por ele, alcançou enorme repercussão, antes mesmo de sua grande obra As *vinhas da ira*, que lhe traria o Prêmio Nobel.

Em seus primeiros livros, e por isso sua obra recebeu a devida atenção do leitor, Steinbeck focalizou os problemas enfrentados pelos migrantes, trabalhadores rurais da Califórnia, região que sofria com constantes furacões e secas. O próprio autor estava muito próximo da realidade dos camponeses, uma vez que também trabalhara no início de sua carreira em fazendas nas épocas de colheita. Em questão está a temática do velho sonho americano: todos procuravam nos Estados Unidos o "Eldorado", o pedaço de terra e, assim, o início de uma nova vida. Para muitos, porém, esse sonho é inacessível. Associados à temática da realização do sonho, são temas freqüentes a solidão (da esposa de Curley), a convivência com o diverso (de realidades e pessoas diversas, de pessoas com animais, etc.) e os conflitos (a expulsão de Georg e Lennie devido às atitudes de Lennie). A busca do emprego e de uma vida melhor também é tema principal no seu livro *As vinhas da ira*, no qual é narrada a saga da família Joad em busca de trabalho na Califórnia. *A leste do Éden*, outro livro famoso de Steinbeck, retrata o mesmo tema de forma até mais elaborada.

Sua obra é marcada ainda pelo humor penetrante e pela percepção sagaz da problemática social. John Steinbeck abandonou a formação acadêmica para atuar como jornalista e, com essa experiência – comum no meio literário norte-americano –, tornar-se um importante escritor-jornalista atento à problemática social de sua época.

Jonathan SWIFT

★ Dublin, Irlanda, 1667
✝ Dublin, Irlanda, 1745

Órfão de pai e entregue aos cuidados de um tio, cursou a Universidade de Trinity, em Dublin, demonstrando desde cedo sua invulgar genialidade. Mudando-se para Londres, onde morava sua mãe, trabalhou como contador e doutorou-se em Teologia pela Universidade de Oxford. Exerceu o cargo de cônego em algumas dioceses e chegou a deão da catedral de São Patrício, em Dublin. Participou das querelas literárias e políticas da época e escreveu poemas e ensaios, sendo reconhecido em vida como autor de *As viagens de Gulliver*. Um dos mais famosos livros da literatura universal, nele o grotesco é explorado sob vários ângulos, desde a pequenez dos homens de Lilliput até a ampliação escatológica da miséria física dos gigantes de Brobdingnag. Agudo e mordaz, ridicularizou a sociedade, satirizando o pedantismo e o mau gosto dominantes em seu tempo.

Obra principal: *As viagens de Gulliver*, 1726

Jonathan Swift

por Celso Gutfreind

Por que ler Swift?

Porque esse verbete é maluco. A culpa maior não é do autor do verbete, mas do verbete do autor. Que fez uma obra solta e criativa, dessas que vale a pena ler. De resto, lemos o que é técnico ou guia ou mapa ou bula. Lemos e descartamos. Swift é carta de ler e reler.

Por que ler Swift?

Porque ele escreveu *As viagens de Gulliver*, o que já basta para o cânone. De reta basta a vida fora da arte, de única basta uma conversa qualquer. *As viagens* junta pedaços. Começa juntando a linguagem, a um só tempo para crianças e adultos. Não é à toa que se tornou filme e inúmeras adaptações para crianças. O bom autor simplesmente escreve bem. Por exemplo: "Em minhas primeiras viagens, quando eu era moço, fui instruído pelos marujos mais velhos e aprendi a falar como eles. Mas vim a saber, depois disso, que os Yahoos marinheiros, à semelhança dos Yahoos de terra, são dados a introduzir novidades em sua linguagem, que os últimos modificam todos os anos; de tal sorte que me lembra, toda vez que eu regressava à minha terra, encontrar tão alterado o velho dialeto, que mal lograva compreender o novo". O bom autor escreve para o público de todas as idades, porque o bom leitor tem todas as idades.

As viagens reúne mais. Junta a sátira política (o mesquinho, o ambicioso) do século XVIII inglês e europeu com a crítica social e o desenho psicológico de todos os séculos. Quem quer denúncia encontra. Quem quer sociedade encontra. Quem quer sentimento encontra.

Mas o que mais se encontra em *As viagens* é um convite quase empurrão para o sonho e a imaginação. Cânone que é cânone pensa sentindo. Pensa sonhando. Pensa imaginando. E cada desventura de Gulliver tem o poder de, enquanto vai virando símbolo (social, político e também do que quisermos), criar e recriar o nosso espaço interno de imaginar. Swift fuça ali. Cânone fuça ali. É ali que decidimos se viver valerá a pena.

Jorge Luis BORGES

★ Buenos Aires, Argentina, 1899
✝ Genebra, Suíça, 1986

Jorge Luis Borges dedicou-se à literatura, escrevendo e lendo em inglês e espanhol. Em 1914, foi residir com a família na Suíça, onde permaneceu até 1919, bacharelando-se em Genebra. Mais tarde, mudou-se para a Espanha, freqüentando as rodas literárias ligadas ao Ultraísmo. Em 1921, já em Buenos Aires, conviveu com a intelectualidade argentina, dentre os quais pontificavam Adolfo Bioy Casares, Ricardo Güiraldes e as irmãs Ocampo. Integrou o movimento modernista argentino e fundou as revistas *Proa* e *Prisma*. Colaborou em periódicos e produziu uma vasta obra, apesar de sua cegueira progressiva. Sua erudição, a intimidade com os clássicos adquirida na infância e os anos em que viveu na Europa refletiram-se em sua obra, acentuando a tendência ao cosmopolitismo. Borges também foi fiel aos motivos da tradição platina, tendo sido por ele renovada. Sua obra veio a ser consagrada na América Latina depois de prestigiada na França.

Obras principais: *Ficções*, 1944; *O Aleph*, 1949; *Antologia pessoal*, 1961; *O informe de Brodie*, 1970; *O livro de areia*, 1975

Jorge Luis Borges
por Denise Vallerius de Oliveira

Provavelmente, mesmo aqueles que nunca tenham lido o escritor argentino Jorge Luis Borges já tiveram acesso a algum fragmento crítico a seu respeito ou, então, ouviram algum comentário acerca do autor e de sua obra. E, certamente, dentre esses comentários, sobressaem-se os adjetivos de literatura fantástica e erudita, construída sobre temas metafísicos, como o tempo e a individualidade, simbolizados em especial por labirintos, sonhos e espelhos. Indubitavelmente, essa é a imagem que consagrou Borges junto à critica literária ocidental, graças às traduções francesas, realizadas na década de 1940, dos contos "La lotería en babilonia" e "La Biblioteca de Babel", as quais foram precedidas de uma apresentação do tradutor em que definia o escritor exclusivamente como cosmopolita e universal. Cabe, pois, alertarmos ao leitor que enseja dar seus primeiros passos no universo borgeano para o fato de que, se por um lado a crítica acerta ao identificá-lo com essas características, por outro peca ao limitar o horizonte de expectativas do público leitor, quando, na verdade, o aclamado universalismo e cosmopolitismo de Jorge Luis Borges só é alcançado devido, primeiramente, a um grande comprometimento com questões locais, com a tradição e com a cultura de seu país.

Borges surge no cenário literário argentino como poeta vanguardista, sendo um dos fundadores do movimento Ultraísta, que tinha como um de seus objetivos minar as bases do modernismo hispano-americano. Embora abandone o movimento pouco tempo depois, esse constitui um marco para o desenvolvimento de toda a sua produção vindoura – eis que já é possível perceber a tentativa de conciliar renovação estética e tradição através de uma releitura da gauchesca e do crioulismo e, por conseguinte, a consciência de que a originalidade não está no novo (adjetivo completamente desacreditado por Borges), mas em estabelecer um diálogo inusitado com o que já existe. Destarte, Borges procurará universalizar temas e personagens locais e marginais (como *gauchos y compadritos* dos arrabais portenhos) e, por outro lado, argentinizar temas e personagens consagrados pela literatura universal, a fim de burlar tanto os discursos nacionalistas quanto os discursos eurocêntricos. Aos primeiros, demonstrava como era possível e legítimo apropriar-se da tradição universal sem deixar de ser argentino; aos últimos, como era possível constituir um sistema literário nacional sem o sentimento de *dívida* para com a literatura européia. Ao jogar com diferentes textos e contextos, fazia com que os empréstimos temáticos e estilísticos, por muito tempo considerados sinônimos dessa *dívida*, passassem a denotar não mais imitação, e sim uma nova abordagem original. Essa sua consciência de ser a literatura um infinito palimpsesto fez com que antecipasse, em seus ensaios e em seus contos, a discussão de muitos conceitos, hoje caros à Teoria Literária, tais como autoria, originalidade e intertextualidade, além de estabelecer um jogo com os limites dos diferentes gêneros literários.

José de ALENCAR

★ Mecejana (CE), Brasil, 1829
✝ Rio de Janeiro, Brasil, 1877

Filho de um senador do Império, diplomou-se em Direito em São Paulo. Iniciou sua carreira literária publicando folhetins no *Correio Mercantil*, do Rio de Janeiro. Trabalhou como advogado, jornalista e político, chegando a deputado e mesmo a Ministro da Justiça. Sua vasta obra teve imediato reconhecimento. Participou também das principais polêmicas de seu tempo, defendendo um programa de literatura nacionalista e romântica. Em sua obra, procurou representar as tradições do Brasil e os costumes nacionais, norteado por um senso estético incomum. Temas como o indianismo, o sertanismo, o regionalismo e a vida urbana em sociedade, presentes em seus romances, convivem com crônicas, textos para o teatro, ensaios críticos e poemas. Seu estilo é apurado e seu texto privilegia a descrição. Nas narrativas e no teatro, sua obra configura a linguagem literária brasileira.

Obras principais: *O guarani*, 1857; *Lucíola*, 1862; *Iracema*, 1865; *O gaúcho*, 1870; *Senhora*, 1875

José de Alencar

por Myrna Bier Appel

Em 1875, escritor já reconhecido nacionalmente, com cerca de vinte romances publicados, diversas peças teatrais encenadas na corte, artigos publicados pela imprensa, o cearense José Martiniano de Alencar lança o livro *Senhora*, uma das obras da sua maturidade.

Qual é o segredo dessa longevidade? O que pode oferecer ao leitor de hoje o romance *Senhora*? Aurélia Camargo – órfã, rica, bela, inteligente – é disputada por todos os jovens nos bailes e festas da corte. Cônscia de que sua beleza, aliada à fortuna, constitui um atrativo irresistível aos que lhe fazem a corte, atribui a cada um de seus pretendentes uma cotação, como em um mercado financeiro. Sabedores de sua cotação, os admiradores que a cercam esmeram-se em satisfazer-lhe os menores caprichos. Aurélia diverte-se com o jogo e a todos desdenha.

De volta ao seu palacete, em seus aposentos, vai-se despindo de seus adereços e com eles despoja-se da personalidade exibida nos salões. Desfaz o penteado elaborado e aí está a legítima heroína ao gosto romântico: delicada, melancólica, mas decidida e firme. Administra seus pecúlios e sua casa com competência, soluciona problemas e alivia sofrimentos alheios, atenta ao que se passa ao seu redor.

Alencar cria tipos humanos e sociais, descreve cenas e costumes da corte: ricos e pobres, escravos e senhores, diplomatas, mercadores, jovens "casadoiras" vigiadas pela família, estudantes à procura de uma noiva com bom dote, meretrizes à caça de um rico protetor. Também o cenário é variado: além do teatro, da ópera, dos bailes da corte, os passeios de fins de semana descrevem praias, arrabaldes com seus folguedos populares e outro padrão de vida.

Isso tudo faz parte do plano traçado por Alencar: compor um vasto painel de seu país, com as peculiaridades de raças humanas, regiões, climas, paisagens, tipos sociais, história, política e até mesmo linguagem. Deixou esquematizada uma *gramática do dialeto brasileiro*, que em grande parte já empregava em seus escritos, sobretudo nos diálogos de cunho popular, pelos romances e nas peças teatrais, atraindo críticas ferozes dos puristas e conservadores. A todos respondia Alencar, ou pela imprensa, nas famosas polêmicas, ou nos inúmeros prefácios e posfácios de suas obras.

"Seixas era homem honesto; mas ao atrito da secretaria e ao calor das salas, sua honestidade havia tomado essa têmpera flexível de cera que se molda às fantasias da vaidade e aos reclamos da ambição."

Alencar introduz o protagonista com uma frase incisiva, porém não absoluta: ao ponto-e-vírgula seguem palavras que esmaecem a primeira impressão e permitem prever uma personalidade contraditória. Será ela, conjugada a circunstâncias e acontecimentos vários, causa do conflito gerador do interesse da narrativa. Fernando Seixas, órfão de pai, funcionário público modesto, abandona a faculdade, arranja um cargo em uma secretaria, escreve na imprensa e conquista prestígio. Mas os rendimentos eram minguados. Fernando passa a viver então uma vida dupla. Mora numa casa modesta com a mãe e as duas irmãs, trabalha na repartição e no jornal durante o dia. À noite, ao abrirem-se as salas da alta sociedade, da ópera, do teatro, surge Seixas, elegantíssimo, figurino impecável, distinguindo-se entre os homens pela frase polida, pelo galanteio agradável.

Alguns anos antes, Fernando cortejara Aurélia, então adolescente e pobre, e um grande amor parecia ligá-los. Com o tempo, ele a pretere em favor do oferecimento de uma noiva acompanhada de um dote tentador. Compromete-se e parte para o Recife a negócios. A vida de Aurélia transforma-se radicalmente: torna-se rica, graças a uma inesperada herança, e passa a brilhar na corte. Seixas volta da viagem em situação que vai se deteriorando progressivamente. O reencontro dos antigos namorados ocorre numa sala de teatro, causando-lhes forte emoção. O amor, mesmo negado e sufocado, ainda ardia vivo.

Com o tempo, Aurélia decide virar o jogo. Deseja Seixas como marido e resolve comprá-lo. Sem revelar sua identidade, faz com que um desconhecido tutor ofereça a mais alta "cotação da sua bolsa matrimonial" a Fernando. O jovem aceita o "negócio", mesmo sem saber quem será sua noiva. O conhecimento só se dará no dia da cerimônia oficial.

Alencar, retratando a vida social e doméstica da época, segue os encontros e desencontros desse casamento de aparências. Com tais antecedentes, poderá o amor sobreviver? Com esse enredo que facilmente poderia descambar para o folhetim melodramático, Alencar estrutura um romance da sociedade do Rio de Janeiro imperial. Examina a psicologia das personagens, evitando o maniqueísmo, prende a atenção do leitor pelas intrigas e artimanhas e confere à linguagem um tratamento literário até então ausente da ficção brasileira.

José María ARGUEDAS

★ Andahuaylas, Peru, 1911
✝ Lima, Peru, 1969

O peruano José María Arguedas, órfão de mãe aos três anos, passou a infância e a adolescência em casa de familiares e de estranhos, ou acompanhando seu pai. Teve oportunidade, nessas experiências, de conhecer o Peru andino em todas as direções e de assimilar profundamente aquele mundo primitivo, conflitante e complexo. Aos vinte anos vai a Lima expressando-se espontaneamente em quéchua e tendo a difícil tarefa de comunicar-se em espanhol. Chegou à capital do país no tempo em que o chamado indigenismo se fazia tema literário. Essas experiências permeiam a sua obra através da problematização de um país mestiço dividido entre duas culturas: a andina de origem quéchua e a urbana de substrato europeu.

Obras principais: *Agua*, 1935; *Yawar Fiesta*, 1941; *Os rios profundos*, 1958; *El sexto*, 1961; *Todas las sangres*, 1964; *El zorro de arriba y el zorro de abajo*, 1971; *Amor mundo y todos los cuentos de José María Arguedas*, 1967

José María Arguedas
por Pedro Cancio da Silva

Arguedas tomou a si a incumbência verbal de reivindicar condições humanas sobre o que era e o que sofria o homem dos Andes. Em discurso simples, vigoroso e pleno, revelou uma nova visão de vida na qual se opunham sentimentos, idéias e interesses vitais do homem branco, dominador, e dos indígenas e mestiços, dominados. A produção literária anterior não havia conseguido representar verdadeiramente os conflitos sociais e as razões antropológicas vigentes.

O romance *Los ríos profundos* é registro e síntese de uma luta que procura ir além do localismo circunstancial e deseja atingir a solidariedade humana. Seguindo marcas da justiça universal, Arguedas conduz seus mitos andinos calcados no dia-a-dia consubstanciados com a dureza viva das rochas, a melodia encantadora e distante das águas de rios verdadeiros e imaginários. A primitiva condição indígena e mestiça se atualiza nessa obra, permitindo a Ernesto, personagem central, que interprete a realidade externa e, ao mesmo tempo, a alma do indígena biológico e cultural. Filho de um homem itinerante, matriculado em colégio católico, ele serve de elo e fio condutor às mazelas próprias das relações que têm base na arbitrariedade.

Ernesto e seus companheiros de internato são homens em formação que se movimentam entre adolescência e resíduos infantis. O romance tem caráter autobiográfico e se constrói sobre conflitos, ações, abjetos, costumes, evocação do passado, representação do presente e interrogação do futuro. Movem-se índios, *cholos*, mulheres brancas e índias, religiosos com seus hábitos e costumes que conduzem a narrativa, por vezes lógica e racional, mas também absurda, atingindo, em certos momentos, comportamentos bestiais. Não há, em *Los ríos profundos*, perspectivas de mudanças. A narrativa não está baseada no indígena como ilusão, teatralmente iluminado. Os conflitos registram a cor escura e uniformizam a realidade complexa instaurada.

José SARAMAGO

★ Aldeia de Azinhaga, Portugal, 1922

Dadas as dificuldades econômicas familiares, José Saramago apenas concluiu seus estudos secundários. Membro do Partido Comunista Português, sofreu censura e perseguição durante os anos da ditadura de Salazar, envolvendo-se com a chamada Revolução dos Cravos, que levou a democracia a Portugal em 1974. Sua fama como escritor e renovador da ficção portuguesa teve início com a publicação do romance *Levantado do chão* (1980), cujo tema, fundamentado na história de Portugal, se repete em outras obras, como *Memorial do convento*, *O ano da morte de Ricardo Reis*, *A jangada de pedra* e *História do cerco de Lisboa*. Mesclando informações históricas, visão política e fantasia, sua obra reelabora a nacionalidade portuguesa através de um depoimento sobre a condição humana. Em 1998, foi o primeiro escritor de língua portuguesa a receber o Prêmio Nobel de Literatura.

Obras principais: *Memorial do convento*, 1982; *O ano da morte de Ricardo Reis*, 1984; *A jangada de pedra*, 1986; *História do cerco de Lisboa*, 1989; *O evangelho segundo Jesus Cristo*, 1991; *Ensaio sobre a cegueira*, 1995; *O homem duplicado*, 2002

José Saramago

por Jane Tutikian

Saramago, que já publicara *Terra do pecado*, em 1947, surge para a chamada "fase luminosa" – que se estende de *Levantado do chão* (1980) a *O evangelho segundo Jesus Cristo* –, redescobrindo a vertente histórica do romance português e inserindo-o em uma zona de ruptura. Quer dizer: o escritor adere à História oficial de Portugal para revelar outras histórias, apontando para a "contra-imagem", presentificando o passado à luz do olho crítico do presente.

A interpenetração da verdade e da ficção está não só no convívio das personagens históricas e ficcionais, mas também na própria feitura do texto. *Memorial do Convento* tem traços do romance histórico tradicional na reconstituição do Portugal barroco apoiada nas fontes e na semelhança com a crônica, na forma de narrar e, inclusive, no léxico. A ruptura ocorre na medida em que não se trata de simples história romanceada, mas de uma produção que se afirma ficcional, tal como *Levantado do chão*, a grande "epopéia social do Alentejo".

Ao tematizar a elaboração de Fernando Pessoa, em *O ano da morte de Ricardo Reis*, José Saramago lhe dá uma nova existência, projetando-a numa narrativa que critica o passado lusitano. É a mesma postura diante da História, a mesma indicação da "contra-imagem", que vai levar o leitor a encontrar em *O evangelho segundo Jesus Cristo*, em uma história conhecida, uma outra história, porque resultado de uma interpretação pessoal, iconoclasta, criadora e anticanônica. É, entretanto, em *História do cerco de Lisboa*, que a História se relativiza de maneira explícita. Aí, como em *Memorial do convento*, Saramago traz à ficção os heróis sem nome, os banidos da História.

Ensaio sobre a cegueira inaugura uma nova fase, a alegórica. Fazem parte dessa fase *Todos os nomes* (1997), *A caverna* (2000), *O homem duplicado* e *Ensaio sobre a lucidez* (2004). Se, na primeira fase, a reescrita paródica subverte a leitura oficial, na segunda – através de reflexões sobre o mundo em que vivemos, suas transformações e as perdas que implicam –, o autor faz com que sua obra assuma uma função ideológica.

Some-se a isso o fato de a obra de Saramago estar impregnada da revolução narrativa do século XX. Nesse ponto, o autor confunde-se com o narrador para, impondo sua própria voz, tomar para si toda a responsabilidade do processo ficcional.

Joseph CONRAD

✯ Berditchov, Ucrânia, 1857
✞ Bishopsbourne, Inglaterra, 1924

Polonês (nascido em uma região da atual Ucrânia), naturalizado cidadão britânico em 1886, Joseph Conrad trabalhou como marinheiro, viajando pela Ásia, onde colheu material para a sua obra literária, que foi escrita em inglês. O conhecimento de um holandês que residia na Malásia motivou-o a escrever seu primeiro romance, *A loucura do Almayer*. A obra foi bem-aceita pela crítica e pelo público devido ao tom exótico, estranho à cultura inglesa. Mais tarde, Conrad fixou-se em Londres, onde se dedicou à literatura. Embora o mar esteja presente em grande parte de seus romances, o escritor costumava declarar que sua obra tinha por objetivo chegar ao valor ideal das coisas, dos acontecimentos e dos seres. O romance *Lord Jim* é considerado um dos livros mais importantes do século XX. Nele o escritor refina a visão psicológica da personagem, um marinheiro inglês que se vê atormentado pelo remorso por ter permitido o naufrágio de seu navio.

Obras principais: *A loucura do Almayer*, 1895; *Lord Jim*, 1900; *Tufão*, 1903; *Nostromo*, 1904; *O coração das trevas*, 1906; *A flecha de ouro*, 1919

Joseph Conrad
por Vânia L. S. de Barros Falcão

Nascido Teodor Jósef Konrad Korzeniowski, adquiriu o domínio da língua inglesa entre 1878 e 1895, já adulto, fato relevante, pois é considerado um de seus melhores estilistas, o que por si só justificaria a leitura de sua obra. É interessante lembrar que Conrad é filho de um escritor e tradutor, Apollo Korzeniowski, e assim foi inicialmente criado num ambiente familiar em que se valorizava a própria língua, os outros idiomas e a arte de escrever. O aspecto político também teve grande importância no cotidiano da família, que foi deportada para uma província distante na Sibéria, de onde Conrad retornou à Polônia, com seu pai enfermo e já órfão de mãe, em 1867. Aspectos de sua vida particular sugerem que a desfrutou num ritmo de aventura e drama (tentou o suicídio em 1878 por ter contraído débitos).

Buscou o mar como meio de vida, e certamente essa experiência resultou na escolha de temas e personagens ligados à vida marítima para seus contos, como "The Lagoon", e romances, como *Lord Jim* e *Victory* (1915). Contudo, sua obra é bem mais abrangente, e seus personagens são delineados com cuidado e profundidade. As viagens que realizou pelo Extremo Oriente e pela África oportunizaram um contato amplo com culturas diferentes da sua e uma vivência que lhe permitiu escrever textos atraentes. Sua produção expõe amplo leque: contos, novelas, romances, peças de teatro, ensaios. Dentre eles, destacam-se: *The Inheritors – An Extravagant Story* (1901) e *Romance* – A novel (1903). Por um aspecto inusitado, foram escritos a quatro mãos, com a colaboração de Ford Madox (Hueffer) Ford. Quanto a inovações técnicas, críticos registram a mudança na seqüência temporal de acontecimentos e a apresentação da ação a partir do ponto de vista de vários personagens.

Nostromo é considerado por muitos sua obra-prima. O próprio autor, em nota prévia publicada em 1917, explica que foi o texto que lhe exigiu a "mais ansiosa meditação" e que, ao escrevê-lo, "sentiu uma mudança sutil na natureza da inspiração". A partir de uma experiência de juventude, no Golfo do México, quando ouviu a história de um "homem que teria roubado, sozinho, uma chata carregada de prata, em algum ponto do litoral, durante os percalços de uma revolução", e da leitura, cerca de 27 anos depois, de uma biografia de um marinheiro americano que "trabalhara, durante alguns meses a bordo de uma escuna, cujo mestre e proprietário era o ladrão de quem ouvira falar na juventude", o romancista empenhou-se na escritura de uma obra que se passa no país imaginário de Costaguano, na América Latina. O inglês Gould, dono da concessão da mina de prata da cidade de Sulaco, e Nostromo, seu capataz italiano, vivem uma trama, envolvendo corrupção e instabilidade política numa sociedade colonial governada pela oligarquia espanhola. O texto merece atenção pela oportunidade que oferece ao leitor brasileiro de refletir sobre o colonialismo e o pós-colonialismo em suas manifestações históricas e sociais.

Juan RULFO

★ Sayula, México, 1918
✝ Cidade do México, México, 1986

Criado na província natal de Jalisco, mudou-se para a Cidade do México, onde estreou como escritor em 1942. Obteve sucesso literário com a publicação do conto "Deram-nos a Terra", no qual narra, de modo inovador e furtando-se ao realismo dominante, a decepção dos camponeses mexicanos com a revolução. O conto integrou depois o volume *O planalto em chamas*. Seu segundo livro e único romance é *Pedro Páramo*, considerado pela crítica como símbolo do presente e do passado do México. Questões como a violência, a morte, a degradação humana, a culpa, o fatalismo e uma sexualidade primitiva são temas recorrentes de sua obra. Valendo-se desses recursos, Rulfo analisa, em seus textos, vários aspectos da vida rural mexicana, que transforma em metáfora da condição humana. Apesar de pouco extensa, sua obra ocupa um lugar de destaque na linha do realismo fantástico que caracteriza grande parte da ficção hispano-americana do século XX. Rulfo desenvolveu também um importante trabalho fotográfico que dialoga com sua obra escrita e vem ganhando crescente interesse: a primeira grande exposição data de 2001.

Obras principais: *O planalto em chamas*, 1953; *Pedro Páramo*, 1955; *El gallo de oro*, 1964, roteiro cinematográfico

Juan Rulfo

por Miriam Garate

Quais os traços mais relevantes de uma obra "enxuta" (apenas um livro de contos, um romance, um roteiro) e, no entanto, fundamental, como a obra de Juan Rulfo? Em primeiro lugar, sua forte unidade temática e estilística, feita de planaltos áridos, camponeses paupérrimos, estouros de violência cometida ou padecida, nomadismo (não é por acaso que poderíamos pensar nas personagens roseanas como parentes próximas), feita de concisão, meias ou poucas palavras, silêncios... fantasmas. Utilizando esses "escassos" recursos, o autor dá forma a um universo ficcional que, ao mesmo tempo, revisita e altera a tradição literária mexicana então vigente. Primeiro, através dos contos de *O planalto em chamas*, um dos quais, intitulado "Lavinia", é considerado núcleo precursor do romance que viria logo a seguir. Depois, com *Pedro Páramo*, sua obra-chave.

Ao longo desse processo de escrita, Rulfo "apaga" marcas realistas do espaço, do tempo, da construção das personagens. Inventa Comala, cidade imaginária que vem substituir o povoado real do sul de Jalisco escolhido na primeira versão do romance; suprime as referências explícitas à revolução mexicana, também presentes nessa primeira versão; reduz as duzentas páginas do copião inicial a oitenta e poucas; faz de Juan Preciado, o protagonista à procura de seu pai, e da totalidade dos habitantes de Comala, uma população de mortos que perambulam por ruelas empoeiradas (mas o leitor só saberá disso lá pelo meio do texto, depois de ter caído na "armadilha" da crença).

Diz Augusto Monterroso: "No início acreditou-se, erroneamente, que Rulfo era realista, quando a rigor é fantástico. Isso porque os fantasmas de Rulfo são diferentes dos norte-americanos ou europeus. São humildes, não querem assustar, pedem somente uma oração que os ajude a encontrar o descanso eterno. São muito pobres, como a terra que pisam. São muito católicos e muito resignados. Em outras palavras: os fantasmas de Rulfo são fantasmas de 'verdade'. Fantasia a serviço de verdades essenciais, portanto (ou, se se preferir, 'realismo fantástico')".

Reforçando essa poética da economia, cria uma narrativa sem preâmbulos, que diz o estritamente necessário ("eu dou um salto até o momento em que acontece algo com a personagem e ela tem de reagir", afirma o autor); um relato no qual prevalece o diálogo ou monólogo interior de vozes camponesas, vozes avessas à exuberância verbal e ao palavreado inútil ("eu não queria falar como se escreve, mas escrever como se fala", disse alguma vez Rulfo). O resultado é altamente concentrado. Alterou o rumo das letras mexicanas e suscitou a admiração de grandes escritores da América Latina (Borges, García Márquez, etc.)

Julio CORTÁZAR

✯ Bruxelas, Bélgica, 1914
✞ Paris, França, 1984

Nascido na Bélgica, muito cedo mudou-se para a Argentina, vindo a ser considerado um dos principais escritores da literatura argentina moderna. Trabalhou como professor secundário em Buenos Aires e recusou uma cátedra universitária por opor-se ao regime peronista. Contratado como tradutor pela UNESCO, radicou-se em Paris em 1952, tornando-se cidadão francês em 1982. Teve o mérito de promover a narrativa através de experimentos formais, obrigando o leitor a construir os sentidos do texto, ordenado de maneira lúdica. Entre seus temas dominantes, estão o monstruoso, o bestial e o insólito. Segundo a crítica, sua obra é impregnada de sugestões e traços poéticos que se aproximam da fantasmagoria. Além disso, documenta as transformações sociais latino-americanas, visíveis na deterioração dos costumes e das tradições locais. Em *O jogo da amarelinha*, o escritor cria novas formas narrativas, propondo ao leitor um exercício de construção de significados. Além de escrever ficção, Cortázar exprimiu sua poética autoral em ensaios reunidos em tradução brasileira com o título de *Valise de cronópio* (1997).

Obras principais: *Bestiário*, 1951; *As armas secretas*, 1959; *Os prêmios*, 1961; *Histórias de cronópios e de famas*, 1962; *O jogo da amarelinha*, 1963; *Todos os fogos o fogo*, 1966

Julio Cortázar
por Márcia Hoppe Navarro

Quando morreu em 1984 o mais importante contista latino-americano, jornais de diversos países anunciaram: "Morre um cronópio!". O termo, criado pelo escritor argentino Julio

Cortázar em 1952, para adjetivar o músico Louis Armstrong, e reafirmado dez anos depois com a publicação de *Histórias de cronópios e de famas*, é, sem dúvida, a designação perfeita para descrever a si próprio. Os contos do livro apresentam os "cronópios" como seres inocentemente idealistas, anticonvencionais, desorganizados, sensíveis e, especialmente, lúdicos, os quais contrastam não apenas com os "famas", que são rígidos, calculistas e organizados, mas também com as "esperanzas", que representariam indivíduos simplórios, apáticos e ignorantes.

Cortázar é, sobretudo, um escritor profundamente lúdico, que envolve os leitores em seus jogos, fazendo-os cúmplices e parceiros em uma intensa busca existencial animada pela mudança rápida de mentalidades e pelo estabelecimento de um exame impiedoso de passadas formas de pensar. O autor acredita que a literatura pode ser uma arma poderosa para mudar a nossa relação com o mundo: "Cada uno tiene sus ametralladoras específicas. La mía, por el momento, es la literatura", insiste. Através de jogos e armadilhas literárias, são forjadas novas mentalidades e, conseqüentemente, novas práticas sociais. O jogo literário tem um papel libertador que permite, pelos caminhos do humor, da imaginação, da fantasia, da ironia e da poesia, a descoberta de uma saída para outra realidade. Esta seria regida por um princípio tão elementar quanto usualmente ignorado, como enfatiza Cortázar, o qual informa que a humanidade só começará verdadeiramente a ser digna de seu nome quando tiver cessado a exploração de um ser humano por outro.

A obra de Julio Cortázar constitui-se em um sólido legado contra o conformismo, a passividade e as convenções sociais, pois estas destroem a potencialidade última do ser humano e formam pessoas que se comportam de maneira automatizada, padronizada, tolhidas em sua criatividade. Vários títulos de suas obras acentuam a tendência lúdica do notável escritor argentino, desde a publicação de *Rayuela*, em 1963, que revolucionou a literatura latino-americana com um romance para ser lido em saltos, de um capítulo a outro, como se fosse o jogo da amarelinha que lhe dá o título, passando por outros títulos como *Final de jogo* (1956), *Todos os fogos o fogo*, *La vuelta al día en ochenta mundos* (1967), 62/*Modelo para armar* (1968), *Últi-*

mo round (1969), *El libro de poemas, pameos y meopas* (1971), *Los autonautas de la cosmopista* (1983). Nestas, e em quase a totalidade de sua vasta obra, o autor defende o fantástico, o humorístico e o lúdico como formas válidas e necessárias de conscientização sobre a busca humana essencial: a liberdade.

O "cronópio maior" ou "o grandíssimo cronópio", como o alcunhavam às vezes, desprezava qualquer tipo de solenidade ou cerimonial. Respeitando seu ponto de vista, conclui-se com a extremamente simples, porém irrebatível, afirmação de que somente a leitura da magnífica obra de Julio Cortázar nos oferece a real dimensão de sua "cronopiedade".

JÚLIO VERNE

★ Nantes, França, 1828
✞ Amiens, França, 1905

Considerado o pai da moderna ficção científica, desde cedo demonstrou interesse pela literatura. Estudou Direito, mas não chegou a exercer a profissão. Trabalhou como secretário do Teatro Lírico entre 1852 e 1854 e, depois, tornou-se corretor de bens públicos, atividades que exerceu paralelamente à de escritor. Suas obras mais conhecidas são *Viagem ao centro da Terra*, *Viagem ao redor da Lua*, *Vinte mil léguas submarinas* e *A volta ao mundo em 80 dias*. Nelas, o autor prevê um grande número de descobertas científicas, incluindo o submarino, o aqualung, a televisão e as viagens espaciais. Tendo desfrutado em vida de enorme popularidade, Júlio Verne é considerado um dos maiores escritores franceses e um dos mais influentes da literatura universal. Em 1892, foi condecorado com a Legião de Honra.

OBRAS PRINCIPAIS: *Viagem ao centro da Terra*, 1864; *Viagem ao redor da Lua*, 1865; *Vinte mil léguas submarinas*, 1870; *Volta ao mundo em 80 dias*, 1873; *A ilha misteriosa*, 1874

JÚLIO VERNE

por Luiz Paulo Faccioli

A França entrou no século XIX ainda sob o impacto da Revolução e guiada pela mão megalômana de Napoleão Bonaparte. Com a queda do imperador, sobreveio uma longa fase de turbulência política: ora restaurava-se a república, ora ressurgia a monarquia, ora voltava o império. Para as artes, contudo, foi um século fulgurante. E, especialmente para a literatura, basta dizer que nele encontramos Flaubert, Stendhal, Dumas – pai e filho –, Victor Hugo, Balzac, Maupassant, Rimbaud, Baudelaire, Verlaine. O romantismo que dominava no início cedeu lugar à estética do realismo e do naturalismo que sobreviveu ao nascer do século XX. Cinqüenta anos antes, o público começara a cansar daquela concepção romântica que punha o indivíduo no centro do mundo e se dedicava a extrair dele suas confidências e aflições. O progresso da ciência estimulava o homem a olhar para fora de si, e a arte não poderia deixar de absorver e retratar essa nova realidade. É nesse cenário que Júlio Verne aparece com seus relatos de viagens fantásticas, antecipando na ficção um futuro que viria a se confirmar nos detalhes de suas projeções tecnológicas, e logo se torna um dos mais populares escritores franceses de todos os tempos.

A narrativa de aventura não era nova e já havia produzido bons frutos pelas mãos de Jonathan Swift, em *As viagens de Gulliver*, e de Daniel Defoe, em *Robinson Crusoé*. Verne agregou a ela o conceito de verossimilhança científica inaugurado por Edgar Allan Poe e produziu uma obra original que ainda instiga e muito ainda irá instigar. Dono de um estilo fácil e envolvente, sem prescindir da elegância característica da escrita de sua época, foi um autor inventivo e meticuloso. Autodidata, passou a vida mergulhado em leituras, viajando pela Terra, por dentro dela e pelo espaço sem ter saído muitas vezes de casa. As inovações tecnológicas imaginadas por ele, mas que o mundo só viria a conhecer no século XX, formam uma lista longa que inclui o fax, a televisão, o helicóptero, os mísseis teleguiados, os arranha-céus, o cinema falado, o gravador e tantas outras.

Pai da moderna ficção científica, Júlio Verne ganhou a merecida fama de ter sido um visionário, mas não há nada de místico ou sobrenatural nesse atributo. Ele foi um intelectual profundamente identificado com o seu tempo, atento às mudanças que a evolução das ciências impuseram à humanidade e dedicado a exercitar o raciocínio lógico e científico. Não houve mágica, e sim sede de conhecimento e leitura, muita leitura.

KATHERINE MANSFIELD

✯ Wellington, Nova Zelândia, 1888
✞ Fontainebleu, França, 1923

Katherine Mansfield foi educada em Londres, onde também estudou música. Depois de uma curta estada em sua terra natal, voltou à Europa em 1908, onde permaneceu o resto da vida. Casou-se em 1918 com o crítico John Middleton Murry, com quem colaborou na direção de diversas revistas literárias. Ambos freqüentavam o círculo intelectual de D. H. Lawrence, Virginia Woolf e Aldous Huxley. Leitora de Tchekhov, sua obra destaca-se pela penetração psicológica, sensibilidade aguda, simpatia pelas crianças e ironia, além de uma grande sutileza técnica, adquirida através da busca permanente de rigorosos padrões formais. Seus contos, freqüentemente baseados em incidentes únicos, revelam extrema condensação de linguagem, concisão e delicadeza de estilo, seguindo a linha do imagismo e do impressionismo. É considerada uma das mais importantes contistas do século XX.

OBRAS PRINCIPAIS: *Numa pensão alemã*, 1911; *Felicidade e outras histórias*, 1920; *Festa ao ar livre e outras histórias*, 1922; *Ninho de pomba e outras histórias*, 1923

KATHERINE MANSFIELD
por Vânia L. S. de Barros Falcão

Katherine Mansfield, nascida na Nova Zelândia como Kathleen Mansfield Beauchamp, foi uma escritora de grande sensibilidade. Essa sensibilidade manifestou-se ao longo de uma vida especialmente marcada pela dor física e pelos conflitos psicológicos e existenciais. A música foi objeto de sua primeira eleição no mundo das artes, contudo foi na literatura que desenvolveu sua capacidade criativa, expressiva e crítica. Destacando-se principalmente como escritora de contos, optou por essa forma literária de simplicidade aparente ao expor o mundo do cotidiano, apresentando-o de maneira insólita.

Vida particular e criação literária estão entrelaçadas e resultam em uma obra variada. *Felicidade e outras histórias* é um bom exemplo de sua prosa literária. Enquanto na coletânea *Numa pensão alemã* o leitor pode divertir-se com as referências maliciosas, mas sempre agudas, referentes aos hóspedes de uma pensão na Baviera – local que fizera parte de sua estada em estações de saúde para recuperar-se de surtos de tuberculose –, nas histórias que integram *Felicidade e outras histórias* encontrará um universo que intriga pela diversidade e abrangência, retratado com refinamento de linguagem e sutileza no desenvolvimento de personagens.

A simples leitura de seus quatorze títulos proporciona uma viagem geográfica pelas paisagens do mundo físico e do cotidiano e oferece um mapa do mundo da intimidade do ser humano: "Prelúdio", "Je ne parle pas français", "Felicidade", "O vento sopra", "Psicologia", "Quadros", "O homem sem temperamento", "O dia do sr. Reginaldo Peacock", "Sol e lua", "Feuille d'album", "Conserva de pepinos", "A pequena governanta", "Revelações", "A fuga".

O conto "Felicidade" (*Bliss*), por exemplo, apresenta a protagonista vivenciando um momento de plenitude quando a vida parece perfeita e com possibilidades de uma crescente felicidade. Bertha Young, desfrutando com Harry de um casamento que considerava perfeito, descobre-se vivenciando momentos de grande interesse por Pearl Fulton, uma amiga recente. Repentinamente, durante o jantar que oferece a amigos, preparado com atenção a muitos detalhes para que a ambientação fosse acolhedora e significativa, seu olhar percebe o relacionamento entre dois seres através de gestos e expressões sutis, talvez descuidadas, que descortinam uma existência paralela: descobre-se a infidelidade de Harry com Miss Fulton.

Observado desse ponto de vista, o título "*Bliss*" (felicidade) torna-se profundamente irônico: presumia-se o início de uma relação amorosa entre duas mulheres, e o comportamento humano, numa fração de minutos, desvela outra realidade. O que se destaca nos contos de Katherine Mansfield é a sua capacidade de colocar o leitor frente a imagens concretas, fortes e, na maior parte das vezes, extremamente sedutoras. Seu interesse nos desvios e labirintos da mente coloca seus personagens diante de crises, valorizando-os e possibilitando, assim, que seus enredos sejam simples e concisos.

Inscrita no cânone da literatura inglesa como uma contista do período modernista, a autora não pode deixar de ser citada por sua obra poética, publicada postumamente em 1930, e pela produção crítica, reunida em volume em 1987, sobre o romance e os romancistas. A leitura das cartas que escreveu ao marido John Middleton Murry, no período de 1913 a 1922, publicadas em 1951, podem complementar admiravelmente a compreensão dessa escritora e de suas visões do mundo literário e artístico do qual fez parte.

Lewis CARROLL

☆ Daresbury, Inglaterra, 1832
✞ Guildford, Inglaterra, 1898

Charles Lutwidge Dodgson estudou na Universidade de Oxford, onde, mais tarde, veio a lecionar. Diácono da Igreja Anglicana, seus interesses incluíam lógica, matemática, poesia, narrativa ficcional e fotografia. Como fotógrafo amador, fixou as imagens de vários contemporâneos, destacando-se por fotografar meninas. Uma de suas modelos, Alice Liddell, filha de um deão, inspirou-lhe a personagem de *As aventuras de Alice no país das maravilhas* e *Alice no país do espelho*. Gozando de sucesso imediato desde sua publicação, os dois livros constituem referência obrigatória na literatura ocidental. Sua obra, aparentemente destinada ao público infantil, vem sendo lida e interpretada ao longo dos anos, pois nela são abordadas questões psicológicas e de identidade sob a capa de aventuras fantásticas. O autor é considerado um dos pioneiros na pesquisa de novas ciências do discurso por meio da simbolização.

Obras principais: *As aventuras de Alice no país das maravilhas*, 1865; *Alice no país do espelho*, 1872

Lewis Carroll
por Vera Teixeira de Aguiar

Podemos afirmar sem medo que Lewis Carroll é o fundador da literatura infantil moderna, tendo exercido o realismo maravilhoso na criação dos novos textos. Antes dele, as histórias mágicas contadas às crianças remontavam aos contos de fadas tradicionais, como *A bela adormecida*, por exemplo. Aliás, a questão da fantasia na literatura estava em voga, em seu tempo, e não é por acaso que o francês Júlio Verne (1828-1905), o pai da ficção científica, é seu contemporâneo.

Porém, o nome com que o autor se tornou célebre é um pseudônimo: ele se chamava, na realidade, Charles Lutwidge Dodgson. Nasceu na Inglaterra, em 1832, e viveu no longo reinado da rainha Vitória (1838-1901), demonstrando desde cedo grande interesse pelas letras. Filho de um pastor anglicano, chegou a ordenar-se diácono em 1861, mas nunca exerceu a profissão de pastor, devido a "seus tormentos interiores".

Com apenas treze anos, já publicava, numa revista editada em seu colégio (Richmond College) o conto "O desconhecido". Em 1850, começou os estudos no Christ Church College, de Oxford, onde fez uma brilhante carreira de 26 anos como professor de matemática do ensino superior. Talvez por isso, ao publicar, em 1855, os primeiros poemas humorísticos e contos na revista *Comic Times*, passou a usar o pseudônimo que o tornou famoso.

Além da literatura, era apaixonado pela fotografia, uma novidade na época. Homem aparentemente tranqüilo, solitário e tímido, tinha poucos afetos e cultivou suas amizades especialmente entre as meninas de oito a doze anos de idade, das quais tirou inúmeras fotos, muitas de caráter evidentemente erótico. Participava de suas brincadeiras, criava sempre algumas novas e lhes contava histórias.

Sua grande obra foi *Alice no país das maravilhas*, que ele inventa em 1862, durante um passeio de barco pelo Tâmisa, com seus amigos, o cônego Duckworth, o casal Macdonald e três meninas, filhas do deão do Christ Church College: Alice Liddell (a heroína das aventuras, então com dez anos) e suas irmãs, Lorina e Edith. Encorajado pelos Macdonald, Carroll resolve escrever sua improvisação e a amplia para a versão que a tornou famosa, cujo primeiro título foi *Alice underground* (*Alice por baixo da terra*), depois mudado para *Alice's Adventures in Wonderland* (*Alice no país das maravilhas*).

Publicado em 1865, *Alice no país das maravilhas* deu-lhe imediata notoriedade. Esse sucesso encorajou Carroll a escrever em seguida *Alice through the looking glass and what Alice found there* (*Alice através do espelho e o que Alice encontrou lá*), editado em 1872, com uma tiragem de doze mil exemplares. Após desenvolver alguns tratados de matemática, Carroll publicou em 1876 um longo poema fantástico, *The hunting of snark* (*A caçada ao Snark*), que o autor apresentou como um "delírio com oito episódios ou crises".

A partir de 1877, passava os períodos mais fortes do verão (agosto) na praia de Eastbourne, onde se dedicava a redigir textos em que predominavam os jogos de linguagem ou de lógica formal, e publicou, em 1879, *Euclides and his modern rivals* (*Euclides e seus modernos rivais*). Logo depois (1880), desistiu das atividades fotográficas e em seguida abandonou o magistério, voltando-se exclusivamente às pesquisas de lógica formal e também à realização de um livro para crianças: *Sylvie and Bruno* (1889) e *Sylvie and Bruno concluded* (1893). Entre essas duas obras, publicou um novo título da série "Alice", *The nursery Alice's* (1890).

Consta da crônica de sua vida que, em 1881, se reconciliou com a família Liddell (cuja amizade ficara estremecida, logo após a publicação de *Alice no país das maravilhas*, por motivos ignorados) e reencontrou Alice, já então casada. Em 8 de novembro de 1897, renunciou radicalmente à personagem "Lewis Carroll", recusando-se, inclusive, a receber as cartas que lhe mandavam com esse nome até a sua morte, ocorrida em 14 de janeiro de 1898.

Leon Nikoláievitch TOLSTÓI

★ Iásnaia Poliana, Rússia, 1828
✝ Astápovo, Rússia, 1910

Filho de latifundiários da alta aristocracia russa, Tolstói estudou Direito e Línguas Orientais na Universidade de Kazan. Mais tarde, entrou para o exército e tomou parte na Guerra da Criméia. Sua obra literária inclui livros de memórias e romances. A experiência nas guerras resultou-lhe no conhecimento das aldeias cossacas, das expedições contra as tribos montanhesas e dos costumes do interior da Rússia. Após a guerra, viajou à Suíça, à França e à Alemanha e, ao retornar, fundou uma escola-modelo para camponeses. Considerado um dos romances mais importantes da história da literatura universal, *Guerra e paz* constitui um painel épico da sociedade russa entre 1805 e 1815. Dele emana uma visão de mundo otimista, que atravessa os horrores da guerra e os erros da humanidade. A obra de Tolstói também registra crises de consciência e a denúncia da mentira social e da ilusão do amor.

Obras principais: *Políkushka,* 1863; *Guerra e paz,* 1863-1869; *Anna Kariênina,* 1877; *Padre Sérgio,* 1884; *A morte de Ivan Ilitch,* 1886; *Sonata a Kreutzer,* 1889; *Ressurreição,* 1899

Leon Nikoláievitch Tolstói

por João Armando Nicotti

O nome Leon Tolstói sugere considerações importantes em relação a outros nomes da literatura russa: sua obra surgiu, nas palavras de um crítico, a partir das denominadas escolas puchikiniana e gogoliana. Foi contemporâneo de Turguêniev, Dostoiévski, Gonchárov e Saltikóv-Schedrín; apreciou *O herói de nosso tempo,* de Liérmontov; ao reler *A filha do capitão,* de Púchkin, enfatizou que a psicologia dos personagens ficara em segundo plano e, mais tarde, estabeleceu estreitas relações com KoroléNko, Tchekhov e Górki, a geração posterior. Suas primeiras obras (1852-1857) abrangem as épocas de sua vida: *Infância, Adolescência* e *Juventude*. Em seguida, sua participação em guerras (Cáucaso e Criméia) fica registrada também, na literatura. A partir de então, Tolstói, longe da carreira militar e tendo como preceptor Iván Turguêniev, investe na literatura, na educação, e concentra-se, também, nos problemas existenciais, sociais e filosófico-religiosos do homem russo.

Idealiza uma sociedade russa (similar à apresentada em *Os cossacos*, 1864) em que todos desfrutem do mesmo plano de igualdade; constrói um vasto painel da vida russa a partir da invasão napoleônica em *Guerra e paz* (1863-1869) e discute a infidelidade conjugal num mundo hipócrita da alta sociedade russa e a morte em *Anna Kariênina* (1877), tema este reincidente e específico em títulos como *A morte de Ivan Ilitch* e *Sonata a Kreutzer*. O leitor de Tolstói, em especial o de *Guerra e paz* e *Anna Kariênina*, é absorvido pela complexa rede de interesses e jogos psicológicos que confirmarão o destino de cada protagonista. O liame entre autor e leitor se fecha na tentativa deste de se compreender um pouco mais no cenário da existência humana. Tolstói foi um pensador da sociedade russa: escreveu sobre a repressão czarista (*Não posso calar!*, 1908), discutiu os ditames da Igreja (*A confissão*, 1882, e *Padre Sérgio*, 1911), sugeriu um modelo pedagógico novo para a educação (*Abecedário*, 1872) e buscou critérios para uma definição de arte (*O que é a arte?*, 1898).

Expulso da Igreja Ortodoxa russa, em 1901, Tolstói pregava um cristianismo novo, desligado do dogmatismo eclesiástico a partir da transformação interior do indivíduo. Em *Ressurreição*, a espiritualização renovada em seus protagonistas deveria ser, segundo o desejo do autor, extensiva a todo o povo da Rússia. Com a chegada do século XX, Tolstói almejava uma nova vida para os injustiçados sociais, na perspectiva de reconciliação do bem, da moral reavaliada e da bondade acima de tudo. Sua obra como um todo enfatizou a vida e suas diferentes formas de amor, assim como apresentou, na essência de personagens como Anna Kariênina, Vronski, Liêvin, Ivan Ilitch, Guerássim, Políkushka, André Bolkonski, Natacha Rostov e Evgueni Irténiev, as manifestações problematizadas frente à vida e à morte, eternizando esse dualismo que compõe o grande mistério da condição humana.

Joaquim Maria MACHADO DE ASSIS

☆ Rio de Janeiro, Brasil, 1839
✝ Rio de Janeiro, Brasil, 1908

De origem humilde, era tímido, pobre, mulato e órfão de mãe. Trabalhou muito cedo como aprendiz de tipógrafo e estreou como poeta no jornal *A Marmota*, empregando-se, logo a seguir, na Imprensa Nacional. Convidado por Quintino Bocaiúva, passou a colaborar no *Diário do Rio de Janeiro*, no qual publicou contos e crônicas. Produziu ainda poemas, peças teatrais, ensaios e romances. O público e a crítica, desde cedo, consagraram o escritor, que foi um dos fundadores da Academia Brasileira de Letras e o seu primeiro presidente. Suas obras são perpassadas por um fino humor e uma ironia amarga. Nelas a elegância do estilo se completa com a correção da linguagem. Em suas narrativas encontra-se a tendência à análise psicológica das personagens, aliada à visão dos costumes da época e à introspecção. Leitor dos grandes autores, sua obra documenta a presença do homem na sociedade brasileira do Segundo Império.

Obras principais: *Memórias póstumas de Brás Cubas*, 1881; *Papéis avulsos*, 1882; *Quincas Borba*, 1891; *Várias histórias*, 1896; *Dom Casmurro*, 1900; *Memorial de Aires*, 1908

Machado de Assis
por Patrícia Lessa Flores da Cunha

A vida repleta de dificuldades e conquistas de Joaquim Maria Machado de Assis registra a trajetória, até certo ponto típica, do escritor do século XIX: autor de uma profusão de romances, novelas, contos, obras teatrais, ensaios, poesias, resenhas, crônicas políticas, que foi também tipógrafo, repórter, diretor de uma revista, candidato a cargo público, fundador e primeiro presidente da academia de letras de seu país. A atividade literária profissional de Machado de Assis estendeu-se de

1858 a 1906, distribuída entre os vários jornais e semanários da cidade do Rio de Janeiro em que teve atuação jornalística regular.

Em seus escritos, Machado foi um observador implacável e determinado das injustiças – sociais, econômicas, culturais – e, sobretudo, das misérias humanas que formavam o cotidiano da sua época. Um realista, engajado com a realidade, que mostrou por inteiro, utilizando-se, paradoxalmente, da ambigüidade e da dissimulação para produzir um texto surpreendente e *marginal*, revelando um mundo bifronte e enigmático, sob a aparente neutralidade das histórias convencionais, *que todos podiam ler*.

Fiel à disposição de não abusar da *cor local*, soube expressar um brasileirismo interior, discreto, diverso daquele que grassava, de modo ostensivo, em obras de artistas seus contemporâneos, mas, nem por isso, menos autêntico, e com certeza mais original. Sem desprezar o passado, olhou atentamente o presente, detendo-se e inspirando-se na realidade social e psicológica que o cercava para atingir a sensibilidade das gerações futuras, entre leitores e escritores que viessem a perceber, com maior acuidade, as nuances do seu projeto de literatura e pensamento nacional. Nesse sentido, cabia demonstrar, para si e para o seu *caro leitor*, transformado em peça-chave para a cabal realização desse empreendimento ficcional, qual era o *sentimento íntimo* que determinava a nacionalidade do fazer literário.

Lidando preferencialmente com *situações e caracteres*, fórmula genérica que buscou sempre aperfeiçoar a cada incursão sua na matéria ficcional, Machado de Assis compôs, através de sua escritura, um retrato progressivo, porém indefectível, da formação da sociedade brasileira, a partir do momento histórico da sua afirmação como entidade supostamente autônoma. Conseguiu, assim, fixar a *cara* cambiante do cidadão brasileiro, diante da virada do século, expondo-o nos instantes banais e corriqueiros do dia – e da noite – de um Rio de Janeiro que se metamorfoseava em capital dos trópicos, de modelo europeu, mas de face e fundo bem brasileiros. Optando pela sugestão irônica e sutilmente complacente como modo de escrever, revelou, na dubiedade da farsa, todas as mazelas, misérias, sonhos e esperanças próprias do indivíduo que precisava e queria, enfim, sobreviver intelectual, física e culturalmente, em meio a uma realidade desafiante, em processo de autoconstituição.

Entre suas obras, destacam-se o ensaio "Instinto de Nacionalidade – Notícia de Literatura Brasileira", publicado inicialmente em Nova York em 1972, e as edições dos romances *Ressurreição* (1872), *A mão e a luva* (1874), *Helena* (1876), *Memórias póstumas de Brás Cubas* (1881), *Quincas Borba* (1891), *Dom Casmurro* (1899), *Memorial de Aires* (1908), e dos livros de contos *Histórias da meia noite* (1873), *Papéis avulsos* (1882), *Várias histórias* (1896), *Páginas recolhidas* (1899), *Relíquias da casa velha* (1906), entre outros.

Marcel PROUST

★ Paris, França, 1871
✝ Paris, França, 1922

Filho de médico, passou sua infância em Paris, em Champs-Elysées, e as férias de verão em Illiers, sob os cuidados da família. Estudou Direito em Paris, onde fundou a revista *O Banquete*, na qual publicou suas primeiras experiências literárias. Freqüentou os salões da época, inspirando-se na alta burguesia e na aristocracia francesa para compor seus romances. Após a morte dos pais, dedicou-se à redação do romance *Em busca do tempo perdido*, publicado entre 1913 e 1927, composto de sete partes. Opondo-se à temática realista, a obra de Proust registra a evocação da memória, capaz de reunir presente e passado em uma mesma sensação. Relatada em primeira pessoa, ultrapassa a narrativa tradicional e realista através da introspecção e da observação. Nela o autor procura demonstrar que o tempo da vida, que parece irremediavelmente perdido, se recupera por meio da obra de arte. Sua obra ampliou os rumos da literatura, contrariando o pensamento positivista dominante na passagem do século.

Obras principais: *No caminho de Swann*, 1913; *À sombra das raparigas em flor*, 1919; *O caminho de Guermantes I*, 1914; *O caminho de Guermantes II*, 1922; *Sodoma e Gomorra*, 1922; *A prisioneira*, 1923; *A fugitiva*, 1925; *O tempo redescoberto*, 1927

Marcel Proust

por Tatata Pimentel

Marcel Proust nasceu em 10 de julho de 1871 em Auteuil, arredores de Paris, em família fugida das turbulências revolucionárias do centro da cidade. Filho de mãe judia, milionária e possessiva, Jeanne Weil, e de pai médico, famoso e autoritário, Adrian Proust. Supõe-se que, em função dos traumas sofridos pela mãe durante a gestação e o parto, a criança tenha nascido com uma asma incurável – tanto física quanto psíquica. Essa doença perseguirá Proust até a sua morte, em 18 de novembro de 1922. Portanto, a sua vida coincide com o painel histórico narrado, que tem por título geral *Em busca do tempo perdido.*

Proust consegue publicar em vida: *No caminho de Swann*, em 1913; *O caminho de Guermantes I*, em 1914; *À sombra das raparigas em flor*, em 1919; *O caminho de Guermantes II*, *Sodoma e Gomorra*, ambos em 1922. Neste mesmo, sai *Sodoma e Gomorra II.* Após a morte de Proust, seu irmão, Robert, tenta organizar seus cadernos de rascunhos e decifrar os bilhetes, colados nas folhas e contendo as idéias de Proust para os volumes seguintes. Com esta tentativa, publicam-se: *A prisioneira*, em 1923; *A fugitiva*, em 1925; e, finalmente, em 1927, *O tempo redescoberto.* O infindável trabalho para se chegar a um texto final de todos os romances que compõem *Em busca do tempo perdido* só termina com a edição definitiva, na coleção Pléiade, organizada por Jean-Yves Tadié, em quatro volumes, em 1987 – desautorizando todas as versões anteriores da obra máxima de Proust. Obra esta interminada e interminável. Quando Proust coloca a palavra fim, o faz durante a escritura do romance, e não ao finalizá-lo. Essa narrativa é um imenso painel da sociedade francesa que coincide com a vida do autor. Guerras, revoluções, manifestações artísticas e, principalmente, o fim de uma aristocracia, paralelo ao surgimento de uma burguesia ostensiva. Emergidas exclusivamente através da memória involuntária do autor, com um gole de chá de tília e uma madeleine prensada contra o palato.

Essas memórias saem, *grosso modo*, de três grupos sociais: o círculo Guermantes, dos aristocratas, a ascensão da burguesa madame Verdurin e as recordações da infância em Combray. Com a famosa frase: "Durante muito tempo, deitava-me cedo", o autor deslancha a recuperação do passado, das fobias da solidão e da expectativa do beijo da mãe antes do adormecer – na casa de sua tia-avó em Combray. A justificativa de um caminho que leva à casa de Swann e outro que leva ao castelo dos Guermantes deve-se ao fato de que, saindo pela porta de frente da casa da tia, ia-se para a casa de Swann; saindo-se pelo portão dos fundos, ia-se em direção aos Guermantes. Essa oposição geográfica se realizará na obra de Proust quando a burguesia casa-se com a aristocracia. Os primeiros volumes de *Em busca do tempo perdido* são os mais lidos; há muito leitor derrotado pelas imensas descrições de sensações do narrador, ao fio de todo o romance. Mas o princípio é extremamente fácil, saboroso e divertido. *Em busca* é o maior desafio para leitor de todas as épocas, que só se interessa por conhecer "a historinha do livro" – hábito que se formou contemporaneamente com a vitória do *best-seller*, cuja preocupação única é o mito da narrativa e o final da trama. *Em busca do tempo perdido* é um romance de sensações. O gosto da *madeleine* no palato com chá de tília e as receitas fabulosas da velha empregada Françoise. O sentimento de ser ou não traído por Albertine, a frase musical que consagra o amor de Albertine e do narrador e a sexualidade dos amigos íntimos. Nada é confirmado nos romances, e sim deixado na dúvida, pois toda a obra é escrita em primeira pessoa. O que o narrador sabe, ele viu ou lhe foi relatado. Ele não é onipresente nem onisciente, como no romance tradicional.

Os grandes painéis da obra: a reunião da família durante as férias do narrador em Combray, com a imortal figura de Françoise; a carência do amor da mãe e a doença de tia Léonie; a beleza de *À sombra das raparigas em flor*, que se passa na praia atlântica de Cabourg, no litoral francês, e os lazeres da burguesia e da aristocracia; o Caso Dreyfus, discutido nos salões da sociedade parisiense; o anti-semitismo posto em questão; a pintura infernal da Primeira Guerra em Paris; a descoberta da homossexualidade dos vários amigos do narrador; a descrição de uma descida ao inferno dantesco, num bordel masculino parisiense, durante o bombardeio da cidade. E, por fim, a chave de ouro da obra, com a festa na casa dos Guermantes, onde finalmente o narrador constata a decadência física, moral e intelectual dos milhares de personagens que habitam as páginas de *Em busca do tempo perdido*. O tempo passou para aquela fatia da sociedade parisiense do fim de século. Alguns, criação literária. Outros, personagens reais da época, como a atriz Sarah Bernhardt.

Ler essa obra é tão difícil quanto ler qualquer obra-prima da humanidade, pela sua extensão, pela quantidade de personagens e por sua mobilidade social: uma madame que vira duquesa e tem outro nome; uma prostituta que vira princesa e também muda de nome. É impossível estabelecer uma geografia na obra e uma genealogia. São essas mutações da sociedade e suas ideologias que a tornam o maior painel literário da passagem do século. Exclusivamente pela sensibilidade do narrador: as pesquisas do autor com as minúcias de moda, penteado e chapéu. Enfim, a transmutação de uma sociedade arcaica francesa rumo à França contemporânea.

Para quem pretende enfrentar Proust no original: Bibliothèque de La Pléiade, quatro volumes, Paris, 1987. Para quem deseja ler em português: tradução de Fernando Py, publicada pela Ediouro, e tradução de Mario Quintana, Carlos Drummond de Andrade, Manuel Bandeira e Lucia Miguel Pereira, publicada pela Globo. Os estudos sobre a obra de Proust pululam, desde Deleuze até Julia Kristeva.

Biografia: *A Monumental e Definitiva*, de Painter.

Mas nada subsiste sem a leitura da obra. Difícil e monumental. Longa e eterna, como qualquer obra de arte.

Marguerite YOURCENAR

★ Bruxelas, Bélgica, 1903
✝ Northeast Harbor, EUA, 1987

Vivendo na França, recebeu excelente educação e começou a escrever ainda adolescente. Durante a Segunda Guerra Mundial, instalou-se nos Estados Unidos, adquirindo a cidadania americana. Exerceu intensa atividade literária, sempre em francês. A consagração internacional como escritora veio com *Memórias de Adriano*, romance histórico em forma de autobiografia do imperador romano, no qual associa o retrato psicológico à reflexão ética e política sobre o mundo mediterrâneo no início do século II. Autora de romances, poemas, ensaios e lembranças familiares, sua obra cria uma temática polêmica: o homossexualismo, a androginia, a luta entre a racionalidade e a irracionalidade humanas, a mística oriental e a busca pela verdade universal. Em 1979, o governo francês concedeu-lhe a nacionalidade francesa, ao lado da americana, e, no ano seguinte, Yourcenar tornou-se a primeira mulher a ser eleita para a Academia Francesa.

Obras principais: *Memórias de Adriano*, 1951; *Obra em negro*, 1968

Marguerite Yourcenar
por Walter Galvani

"Pequena alma terna flutuante
hóspede e companheira do meu corpo,
vais descer aos lugares pálidos, duros, nus,
onde deverás renunciar aos jogos de outrora..."

Esta epígrafe, mais a própria história da escrita de *Memórias de Adriano* por Marguerite Yourcenar, seus trinta anos de trabalho, a interrupção de 1939 a 1948 causada pela angústia da Segunda Guerra Mundial, depois a retomada e enfim a publicação, o misterioso e inigualável Castelo Sant'Angelo às margens do Tibre, que nada mais é do que o túmulo do imperador Adriano, sucessivamente fortaleza, cárcere e hoje belo museu e caminho natural para o Vaticano para os que procedem do centro histórico de Roma, e que faz pensar, no dizer do próprio Adriano, "nos terraços e nas torres pelos quais o homem se aproxima dos astros", tudo isso, como se não bastasse o texto em si, soma-se para transformar esse livro editado em 1951 pela Librarie Plon, de Paris, em um imenso clássico de todos os tempos.

"Um pé na erudição, outro na magia" – escreveria Marguerite Yourcenar – "ou mais exatamente, e sem metáfora, nesta *magia simpática* que consiste em nos transportarmos em pensamento ao interior de alguém". É assim que ela descreve sua tarefa, dando as "regras do jogo": "tudo aprender, tudo ler, informar-se de tudo e, simultaneamente, adaptar ao objetivo a ser atingido os 'Exercícios' de Ignácio de Loyola ou o método do asceta hindu que se esgota, durante anos, para visualizar um pouco mais a imagem que ele criou com as suas pálpebras fechadas".

Foi o que fiz, lendo e relendo, treslendo, chegando a tantas releituras que talvez tenha perdido a conta, buscando hoje uma frase, amanhã uma imagem, depois a reafirmação de um pensamento, daqui a pouco a análise de Adriano de uma necessária "reforma agrária" que chegou a implantar, ou de sua compreensão pela raiva de um escravo que o agrediu com uma faca nos subterrâneos de uma mina abandonada, ou na sua referência ao vinho, que explora "os mistérios vulcânicos do solo", ou sua fé na "palavra escrita", que o levou também a apreciar a voz humana na leitura, tanto quanto "a grande imobilidade das estátuas levou-me a valorizar os gestos".

Sobre o que não terá falado Adriano? O que terá Marguerite esquecido de recolher ou deixado à margem do caminho, como uma preservação para futura busca? É o que reservo também para minhas releituras das *Memórias*, buscando novos ângulos, lembrando, por exemplo, que Adriano também disse que "Um homem que lê, pensa ou calcula pertence à espécie e não ao sexo; nos seus melhores momentos ele escapa inclusive ao humano". Obrigado, Marguerite. Obrigado, Adriano.

Mario VARGAS LLOSA

★ Arequipa, Peru, 1936

Filho de um cônsul peruano na Bolívia, estudou numa academia militar em Lima, completando sua formação em Filosofia e Letras na Universidade de Madri. Colaborou em periódicos e publicou sua primeira coletânea de contos, intitulada *Os chefes*, em 1958. Sua consagração como escritor foi imediata a partir do primeiro romance, *Batismo de fogo*. Temas ligados à realidade peruana estão presentes em todas as suas narrativas. Sua obra contribuiu para dar reconhecimento internacional ao romance hispano-americano. Regressando ao Peru em 1974, o escritor conciliou atividades políticas e produção literária com suas incessantes viagens pelo mundo. Sua obra compõe-se, ainda, de diversos livros de crítica literária, peças teatrais e artigos publicados em jornais de todo o mundo. Seus textos, traduzidos em diversas línguas, valeram-lhe alguns prêmios literários internacionais.

Obras principais: *Os chefes*, 1958; *Batismo de fogo*, 1962; *A Casa Verde*, 1966; *Os filhotes*, 1967; *Conversa na catedral*, 1969; *Pantaleão e as visitadoras, 1973; Tia Júlia e o escrevinhador*, 1977; *A guerra do fim do mundo*, 1981

Mario Vargas Llosa
por Fabian E. Debenedetti

"Ninguém que esteja satisfeito é capaz de escrever", dizia Mario Vargas Llosa ao receber, em 1967, o Prêmio Rómulo Gallegos por sua novela *A Casa Verde*. Esse romance, premiado na Venezuela e na Espanha, viria a somar-se ao também premiado *Batismo de fogo*, de 1962, para confirmar a inserção do escritor no que se dera em chamar o *boom* da literatura latino-americana. Os dois romances refletiriam a tônica das palavras citadas: *Batismo de fogo* se insurge contra uma sociedade – a peruana – violenta e reprimida, desvendando a trama oculta da vida em uma escola militar onde os jovens sofrem a modelagem sob valores castrenses que mutilarão para sempre sua condição humana. Em *A Casa Verde*, o contexto de um prostíbulo permitirá o entrecruzamento de personagens, espaços e épocas: cidade *versus* selva, moderno *versus* antigo; a Casa Verde – o prostíbulo – será ponto de encontro de mundos, refúgio e, talvez, libertação.

A sobreposição de histórias, relatos simultâneos ou alternados, multiplicidade de focos narrativos se constituirão em marca da escrita de Vargas Llosa. No mesmo ano do discurso a que nos referimos, levava a experimentação ao extremo em *Os filhotes*, novela que retrata de forma realista a formação da juventude da classe média de Lima. A estrutura da narração, cujos diálogos e descrição se intercalam em um mesmo período, mais do que contar as alternativas da vida de Pichula Cuellar, relata em coro as desventuras de uma juventude sem perspectivas.

Conversa na catedral apresenta quatro narrações que se superpõem de maneira vertiginosa em uma conversa de bar. Nela são devassados trinta anos da história do Peru para concluir – como corolário da vida medíocre dos personagens – que só resta aguardar a morte. Essa proposta confirma um certo niilismo que atravessa a obra de Vargas Llosa. Para ele, o mundo e suas mazelas são simples objetos de descrição a partir dos quais não necessariamente se projeta alguma alternativa, pois essa responsabilidade compete exclusivamente ao leitor. A mesma tessitura se repete em *Pantaleão e as visitadoras*; entretanto, a dedicação e a meticulosidade do jovem capitão do exército peruano, Pantaleão Pantoja, aplicadas na organização do serviço de visitadoras – prostitutas – para saciar a voluptuosidade dos soldados internados na selva, imprimem uma comicidade alucinante construída em torno do absurdo da situação. Comentando-a, o autor dirá que descobriu o humor.

Essa descoberta do humor renderá mais um fruto, já não pelo absurdo, mas sim pela sátira, no romance com referências autobiográficas *Tia Júlia e o escrevinhador*. Nele, o jovem Mario narra os bastidores do ambiente rádio-teatral, entremeados com a relação amorosa que o liga à tia Julia. No percurso da obra, a personagem Mario refletirá sobre a própria condição de escritor e do escrever. O fato de que transpareça nesse romance a vontade do autor de debruçar-se sobre o ato de escrever não é casual e nos remete ao Vargas Llosa crítico literário e ensaísta lúcido. Dentre seus ensaios críticos, merecem destaque especialmente *A orgia perpétua: Flaubert e Madame Bovary* (1975) e *García Márquez: historia de un deicidio* (1971).

É seguramente a partir dessa condição de leitor e crítico que, tendo lido *Os sertões*, de Euclides da Cunha, se propõe transformar a tragédia de Canudos em romance para dá-la a conhecer ao mundo. Baseando-se nas pesquisas de José Calasans e nas suas próprias – *in loco* –, produzirá uma das mais transcendentes obras de sua extensa bibliografia: *A guerra do fim do mundo*. Universalizando uma guerra tão brasileira, ele mesmo transpassará pela primeira vez as fronteiras temáticas do seu país natal, completando o ciclo da consagração.

O caráter monumental de *A guerra do fim do mundo* se repetirá em *A festa do bode* (2000), que retrata a vida do ditador dominicano Trujillo. Vargas Llosa, entretanto, já faz um bom tempo que está na posição cômoda do escritor cujo nome garante *a priori* o sucesso de vendas e de crítica. Não que suas mais recentes obras desmereçam sua produção anterior, porém já sabemos o que esperar de um escritor imprescindível que desafia o leitor e que construiu uma obra de perfil singular, à qual se mantém fiel, talvez um pouco mais satisfeito que no início da carreira.

Mark TWAIN

★ Flórida, EUA, 1835
✝ Redding, EUA, 1910

Mark Twain, pseudônimo de Samuel Langhorne Clemens, passou a infância às margens do Mississipi, entre barqueiros, missionários, aventureiros e artistas ambulantes. Subindo e descendo o rio, ouviu lendas e histórias, assim como conheceu diferentes tipos humanos e costumes da região. Com a morte do pai, em 1847, abandonou os estudos e empregou-se como aprendiz de tipógrafo. Após a Guerra Civil de 1861, atraído pela corrida do ouro, foi para a Califórnia, atuando como jornalista e escritor. Destacam-se entre seus livros *As aventuras de Tom Sawyer*, reconstituição da infância do autor e resposta aos livros moralistas da época, *Vida no Mississipi* e *As aventuras de Huckleberry Finn*, sua obra mais conhecida. Considerado precursor da literatura autenticamente americana, Mark Twain não se deixou influenciar pela entonação européia e escreveu no linguajar e na gíria de seu país.

Obras principais: *As aventuras de Tom Sawyer*, 1876; *O príncipe e o mendigo*, 1882; *Vida no Mississipi*, 1883; *As aventuras de Huckleberry Finn*, 1884

Mark Twain

por Fernando Neubarth

Há uma história por trás do pseudônimo usado por Samuel Langhorne Clemens. Mark Twain é uma expressão que aprendera a usar nas suas viagens fluviais pelo Mississipi, uma medida de profundidade do rio. Para nós, interessaria medir essa profundidade? Importa é que designa o marco exato de uma linha. Do cotidiano de personagens como Tom Sawyer e Huckleberry Finn, soube mostrar o interior de um país que é também o interior de cada um. Em um relato aparentemente singelo, subjacente a aventuras infanto-juvenis, guarda mostras da hipocrisia que veste a sociedade e críticas à igreja e aos políticos. Suas histórias, a partir do sucesso do conto "A célebre rã saltadora do Condado de Calaveras", transformaram a literatura americana, tornando-o um clássico universal.

Ao destacar os valores humanos mais importantes, aqueles que se moldam na infância, Mark Twain deu voz ao que a América tem de melhor. Não a América imperialista, expansionista, mas uma nação que valoriza pequenas grandes histórias, lembranças da gente interiorana, dos bairros, dos subúrbios; sagas de sofrimento e superação, de diferenças étnicas, sociais e econômicas, a base do *american way of life* e de sua inegável, embora nem sempre verdadeira e concreta, obsessão por justiça. Assim, os relatos de Twain podem ser considerados o início de uma cultura que se difundiu nas letras e talvez ainda mais no cinema. E isso também se deve ao seu humor, muitas vezes incisivo, que provoca ainda hoje discordâncias entre os críticos. Quanto ao seu papel na literatura, Twain dizia que os grandes livros são como o vinho; os dele, como água: as pessoas tomam quando estão realmente com sede.

Voltando ao início, em tudo parece preciso, desde a escolha do pseudônimo. A marca certa, nem maior nem menor em sua profundidade. Um termo que designava duas ondas, duas medidas abaixo da superfície. Uma marca n'água. Na água de um rio que é símbolo, artéria vital de um país que influencia há muito a história do mundo. Sua vida foi trajetória de uma estrela, o espaço entre dois momentos, à semelhança de todas as nossas vidas, início e fim. No caso de Twain, o ciclo de um cometa. Ele escreveu em 1909, um tanto desesperançado, após a perda da esposa e de três dos quatro filhos: "Eu cheguei com o cometa Halley em 1835. Ele vai voltar ano que vem, e eu espero que me leve junto". O Halley estava visível em 30 de novembro de 1835 quando Twain nasceu e também em 21 de abril de 1910 quando ele morreu. A literatura e o mundo não foram mais os mesmos depois dessa passagem.

Mary SHELLEY

★ Londres, Inglaterra, 1797
✝ Londres, Inglaterra, 1851

Filha do filósofo britânico William Godwin e da escritora e feminista Mary Wollstonecraft, casou-se com o poeta Percy Bysshe Shelley em 1818. Nesse mesmo ano, publicou a primeira e mais importante de suas obras, *Frankenstein*, na qual narra a história de um estudante de ciências e de sua criatura sub-humana produzida a partir de cadáveres. No romance, o protagonista, Victor Frankenstein, atua como uma espécie de protótipo do cientista que desafia as leis naturais e divinas, desencadeando, com suas experiências, uma sucessão de desastres. O tema dos limites éticos e religiosos da ciência, recorrente na literatura e no cinema de ficção científica, encontrou no romance de Mary Shelley sua expressão paradigmática.

Obra principal: *Frankenstein*, 1818

Mary Shelley
por Fabiano Bruno Gonçalves

O período literário no qual se insere Mary Shelley é o Romantismo, sendo que a Inglaterra é considerada um dos berços desse período caracterizado pela quase onipresença do "eu romântico": a aspiração pela transcendência dos limites que constringem a ânsia por aquilo que era visto como *inatingível*. Na busca eterna pelo utópico, o anseio, aliado ao raciocínio lógico, encontra a impossibilidade. Da impossibilidade provém o desespero, que culmina na busca pela evasão. Instala-se até mesmo uma busca pelo sobrenatural, uma espécie de catarse transcendental. Surgem ídolos como Satã (particularmente na personificação de John Milton) – o emblema máximo da revolta e do anseio pelo poder, pelo absoluto – e Prometeu, aquele que roubou o fogo (sabedoria, ciência) dos deuses e o deu ao homem. Não admira o fato de o subtítulo da principal obra de Mary Shelley ser "Prometeu moderno".

Em meio a essa atmosfera conturbada, o verão de 1816, no mês de maio, foi o grande marco da vida literária da escritora. Em uma noite chuvosa em Genebra, após a leitura de uma tradução em francês da obra alemã *Fantasmagoriana*, houve uma competição entre amigos (o grupo contava com nomes como Lord Byron e John Polidori) para decidir quem escreveria a história mais assustadora. Sentindo-se incapaz de produzir, Mary sonhou com um pálido estudante das artes ocultas ao lado da "coisa" que ele havia "montado". Daí nasceu a idéia de Frankenstein ou o "Prometeu moderno". Embora tenha escrito outras obras, *Frankenstein*, a história do médico que cria vida a partir de partes de cadáveres e eletricidade, foi e continua sendo um tema inquietante e, em parte, visionário, como nos vêm mostrando os avanços da ciência. Os ecos do romance repercutem de tal modo que não há como citar os ícones das literaturas de língua inglesa sem mencionar Mary Shelley. Ainda na era do cinema mudo, *Frankenstein* surgiu em 1910, com Charles Ogle como o "monstro". Houve vários filmes em que se destaca a criatura, a qual, embora tenha sido representada por nomes como Cristopher Lee e Robert De Niro, foi imortalizada por Boris Karloff em *Frankenstein*, pela Universal Pictures, em 1931. Assim como ocorre na história da literatura, é impossível falar da história do cinema sem se referir ao "monstro".

Máximo (Alexiéi Maxímovitch Péshkov) Górki

✯ Nizni Nóvgorod, posteriormente Górki, Rússia, 1868
✞ Nizni Nóvgorod, posteriormente Górki, Rússia, 1936

De família humilde, abandonou os estudos aos dez anos, exercendo, a partir de então, os mais diversos ofícios. Sua vida errante pela Rússia ofereceu-lhe os temas para a composição das primeiras histórias, publicadas em revistas literárias, cujos protagonistas eram oriundos das classes populares. Sua ativa participação na Revolução Russa de 1905 levou-o ao cárcere por breve período. Mudou-se, a seguir, para os Estados Unidos e, logo depois, para a Itália. Em 1913, voltou à Rússia e, nesse mesmo ano, iniciou sua obra-prima: a trilogia formada pelas narrativas *Infância* (1913-1914), *Ganhando meu pão* (1915-1916) e *Minhas universidades.* Górki elegeu como heróis de seus romances os marginais da sociedade, denunciando a decomposição da burguesia e a evocação da luta operária. Considerado o fundador do realismo socialista, em sua obra domina o tom revolucionário, com vistas à denúncia das injustiças sociais.

Obras principais: *Fomá Gordéev*, 1889; *Pequenos burgueses*, 1902; *A mãe*, 1906; *Os inimigos*, 1906; *A infância*, 1913-1914; *Minhas universidades*, 1923

Máximo Górki

por João Armando Nicotti

Máximo Górki ("Máximo, o amargo", em russo) inicia sua literatura no princípio dos anos 1890, publicando *Makar Chudrá* (1892). Chama a atenção do autor as camadas indigentes da sociedade, o *lumpem*, os receptadores de furtos, os habitantes dos casebres e, ainda, os *bosiakí* (vagabundos, ex-homens, gente sem-teto), os "vagabundos gorkianos". O tratamento que dá a essas figuras revela-se em homens que não se submetem ao poder, preferindo a liberdade aos prazeres passageiros. Esses primeiros anos de sua produção ganham tintas românticas, e a vida que Górki teve em sua infância e adolescência (órfão de pai e mãe; criação dada pelo avô paterno rude e inflexível; abandono da escola por questões econômicas; trabalhos dos mais diversos no comércio; aprendizagem para a leitura e a poesia por sua avó com fábulas e cantos) explica, em parte, o mundo que ele aborda. Nas palavras de Górki, *suas universidades* foram os acontecimentos diários de sua vida nesse período (*os subsolos de Kazan*, os portos do Volga, os *bosiakí*, as entranhas de uma padaria onde trabalhava quatorze horas por dia – tema do belíssimo conto "Vinte e seis e uma"), registros que ficariam, em parte, no intitulado *Minhas universidades* (*Moi Universiteti*).

Nessa época (1898), entra em contato com elementos revolucionários, intensificando suas atividades política, cultural e social. Escreve obras de primeira ordem, como *Konoválov*, *A família Orlov* (*Suprugi Orlovi*) e *Os ex-homens* (*Bivshie Liudi*), além de um excelente poemeto em prosa: "O canto do falcão" ("Pesnia o Sokole"). É preso, solto e preso mais algumas vezes. Na Criméia, conhece Tolstói e Tchekhov. Ganha fama com o romance *Fomá Gordéev* (1889) e com o conto longo "Os três" ("Troe", 1900-1901). No princípio do século XX, o realismo tradicional ganha nova força com as obras de Górki. Mais tarde, na literatura soviética, a discussão gira em torno da teoria do realismo socialista, tendência de que, segundo críticos, Górki não assumiu a paternidade, mas, sem dúvida, foi o "padrasto". Em 1901, *O canto dos albatroz* é considerada a obra-símbolo da revolução, e o apelido de Górki será *o bardo da revolução.* Em relação ao movimento decadentista-simbolista, Górki foi opositor, desenvolvendo, então, sua prosa narrativa, a qual inclui o teatro. Nesse período, seu realismo entra em contraste com o regime czarista de Nicolái II, o que o leva à prisão, embora seja, depois, anistiado.

Máximo escreve, em 1902, as peças de teatro *Pequenos burgueses* e *Banhos fundos*, tornando-se famoso fora da Rússia também pelos contos que abordavam os vagabundos. Residindo na Europa, vê seu romance *A mãe* ser proibido na Rússia. Conhece, em Londres, Lênin e escreve, resultado dessa crise do exílio, o conto "Uma confissão". Entre 1909 e 1916, tem intensa produção literária, incluindo artigos. Com a revolução de 1917, uma nova etapa em sua obra é intensificada com suas atividades sociais, embora, depois de 1917, sua preocupação girasse em torno dos problemas culturais causados pela revolução. Entre 1924 e 1928, encontramos anos prósperos do escritor. Cessa, então, o artista que habita Górki, criando espaço para o publicista. Após concluir a última parte de *A vida de Klim Samguise*, morre, em 1936, em circunstâncias no mínimo suspeitas, decorrentes de tratamentos (sofria dos pulmões) equivocados.

Miguel Ángel ASTURIAS

★ Cidade da Guatemala, Guatemala, 1899
✝ Madri, Espanha, 1974

Bacharel em Direito, foi jornalista, político e diplomata. Em Paris, onde viveu por muitos anos, foi correspondente do jornal *El Imparcial*, da Guatemala. Sua obra é composta de romances, ensaios e artigos, podendo-se nela reconhecer a denúncia da opressão sofrida por um país periférico, sob o jugo do capital e do *truste* estrangeiro. Essa visão de mundo foi responsável por anos de exílio alternados com outros, em que Astúrias exerceu cargos públicos de representação oficial. Sua obra é valorizada pela visão alegórica e surrealista de um país de dominante miséria. Nela sobressai o barroco da linguagem que articula, em imagens insólitas, uma visão contextualizada e grotesca da tirania. *O senhor presidente* narra um episódio de repressão forjado pela polícia política de uma ditadura latino-americana. Astúrias recebeu o Prêmio Lenine da Paz em 1966 e o Prêmio Nobel de Literatura em 1967.

Obras principais: *Lendas de Guatemala*, 1930; *O senhor presidente*, 1946; *Homens de milho*, 1949; *Vento forte*, 1950; *Week-end em Guatemala*, 1956

Miguel Ángel Asturias
por Andrea Kahmann

"Penso com a cabeça do Senhor Presidente, logo existo...". O homem de confiança do Presidente da Guatemala admite ser uma marionete do poder. A mesma personagem, em outro momento, declara que "um inocente não querido pelo governo é pior do que se fosse culpado". Seu interlocutor é um general injustiçado que decide partir, porque "ser militar para manter no poder um grupo de ladrões e assassinos é muito mais triste do que morrer de fome em terras estrangeiras".

Esses trechos ilustram a sátira que Miguel Ángel Asturias traça na obra *O senhor presidente*, de 1946, inspirada na figura do ditador Estrada Cabrera. A caricatura da formação do poder, no entanto, poderia ser aplicada a qualquer ditadura latino-americana. A escrita asturiana atinge o universal e diferencia-se por traspassar os limites das conspirações humanas.

Gravitando em torno dos livros sagrados dos maias, dos mitos pré-colombianos, dos rituais, das imagens e das histórias da Guatemala, o escritor atinge o tom da denúncia sem perder de vista o lirismo, sem se desvencilhar do preciosismo legado por Góngora e da imaginação criadora de Cervantes. A alegoria de um país periférico e miserável é esboçada em flertes constantes com o surrealismo: uma escrita que se define como uma reverberação madura das vanguardas com as quais Asturias teve contato em Paris, nos anos 1920, ocasião em que se aproximou de Picasso, Braque, Vallejo, Unamuno e Valéry. Trata-se, pois, de presença decisiva num momento decisivo da literatura latino-americana, um artista que resolve com maestria o impasse de ser, concomitantemente, um escritor nacional e um artista de aspiração universal.

Construindo uma linguagem nova e uma América Latina nova, a literatura asturiana abre caminho para a tendência do real maravilhoso, no que é amparada por Alexis e Carpentier, e da qual García Márquez é o herdeiro natural. A "trilogia bananeira", composta por *Vento forte*, *O papa verde* (1954) e *Os olhos dos enterrados* (1960), consolida o projeto literário a irmanar o plano mítico com a dura realidade indígena. Os anos 1960, que premiam a escrita guatemalteca, consolidam-se como marco inicial da legitimação da literatura dos latino-americanos frente ao mundo: Asturias recebe o Prêmio Nobel de Literatura em 1967, seguido por Neruda (1973) e García Márquez (1983). A escrita de confluência entre política e estética, surrealismo e socialismo, jornalismo e mito resta, ainda hoje, como um desafio em face das contingentes articulações de local e global, centro e periferia, tradição e modernidade e dos sempre novos arranjos do hodierno.

MIGUEL DE CERVANTES

✻ Alcalá de Henares, Espanha, 1547
✞ Madri, Espanha, 1616

Miguel de Cervantes Saavedra realizou estudos irregulares. Viajou para a Itália, como camareiro do cardeal Júlio Acquaviva, e lá travou contato com a Renascença e o Barroco. Ingressou no exército espanhol para combater os turcos, sendo capturado e mantido em cativeiro por cinco anos. Retornando a Madri, dedicou-se à literatura. Sua obra principal, *Dom Quixote de la Mancha*, consiste em um retrato irônico e melancólico da Espanha imperial e guerreira. Nela o idealismo da cavalaria e do realismo renascentista e picaresco são simbolizados nos dois personagens centrais: Dom Quixote, um aristocrata louco que representa o lado nobre da natureza humana, e Sancho Pança, que encarna o lado materialista e pragmático do homem. O humanismo e a preocupação do escritor com o significado filosófico da vida conferem perenidade à sua obra. Além de *Dom Quixote*, Cervantes escreveu obras teatrais e novelas.

OBRAS PRINCIPAIS: *Dom Quixote de la Mancha*, 1605 e 1615; *Novelas exemplares*, 1613

MIGUEL DE CERVANTES SAAVEDRA

por Pedro Cancio da Silva

Autor de narrativa plural e de grande significação humana e literária, Cervantes publicou a primeira parte de *El ingenioso hidalgo Don Quijote de la Mancha* em 1605. A segunda parte só é conhecida dez anos depois. Faz, então, quatro séculos que Dom Quixote se revela à vida dos homens e do mundo, fazendo-se presente através de edições, reedições e mais reedições, traduções, adaptações verbais e em outras expressões artísticas, como a música e as artes plásticas. Percebe-se a influência do Quixote cervantino em muitas literaturas nacionais. Tem sido fonte de manifestações poéticas e narrativas no Brasil, sendo homenageado no Rio Grande do Sul, em 1946, com a criação do Grupo Quixote, organização cultural que reuniu jovens intelectuais, com ideais de liberdade, que atuavam em Porto Alegre, em diferentes expressões artísticas, sob o slogan *Vamos fazer uma barbaridade!*, reunidos marcadamente a partir da *Vida de Don Quijote y Sancho*, de Miguel de Unamuno, com a revista *Quixote*, com cinco números publicados, de dezembro de 1947 a agosto de 1952.

O fidalgo Alonso Quijano perde o juízo de tanto ler romances de cavalaria e, ao tomar a alcunha de Dom Quixote de la Mancha, decide abandonar a aldeia para atuar como cavaleiro andante em defesa dos fracos. Transforma a aldeã Aldonza Lorenzo em Dulcinea del Toboso, personagem idealizado a quem passa a amar em sua vida delirante. Em seus devaneios, cria a Insula Barataria, designando a Sancho Pança, seu fiel escudeiro, como governador. Com Sancho Pança, Cervantes cria o contraponto físico e filosófico de Dom Quixote. Devido à necessidade de aventuras, o herói cervantino organiza uma guerra e vai à luta contra moinhos, acreditando que eram gigantes. Multiplica batalhas e projeta inimigos transformados. É possível que a intenção de Cervantes fosse produzir uma paródia da infantil visão medieval dos romances de cavalaria, lidos e aceitos em sua época. Porém, criado o herói, o autor avança movido por uma intenção puramente estética. De literatura a filosofia. De paródia, construção literária, propósito inicial, Cervantes dedica-se à construção completa da personalidade do herói que representa a luta do homem dotado de idéias generosas, destruídas dolorosamente pela incompreensão instaurada na sociedade.

NATHANIEL HAWTHORNE

★ Salem, EUA, 1804
✝ Plymouth, EUA, 1864

Nascido em uma tradicional família puritana, órfão de pai aos quatro anos, foi criado pela mãe na cidade de Salem, em ambiente soturno, propício à angústia e à imaginação. Em 1836, transferiu-se para Boston e, em 1853, foi nomeado cônsul em Liverpool, na Inglaterra, vivendo na Europa até 1860. Com marcas fortemente alegóricas, fantasistas e pessimistas, suas narrativas tratam de questões morais complexas. A crítica reconhece o influxo do puritanismo em sua obra, sobretudo no modo como disseca as motivações das personagens para identificar o pecado, a graça, a moral e a boa conduta. Não obstante, há nela o repúdio à intolerância, ao fanatismo e ao dogmatismo religioso. A sólida construção estilística de seus romances e contos fez dele o primeiro grande romancista dos Estados Unidos e um dos principais escritores da literatura ocidental do século XIX.

OBRAS PRINCIPAIS: *Contos duas vezes contados*, 1837; *A letra escarlate*, 1850; *A casa das sete torres*, 1851

NATHANIEL HAWTHORNE

por Charles Kiefer

Em um tempo como o nosso, de pressa, descuido e falta de profundidade, é interessante ler Nathaniel Hawthorne, porque ele é o extremo oposto de tudo o que vivemos. Sua literatura é alegórica – e alegorias precisam ser lentamente reconstruídas, ressemantizadas, ressignificadas; sua literatura é cuidadosa, carregada de imagens, construída sob os influxos de um estilo penumbroso; sua literatura é silenciosa e profunda como um lago gelado. Mergulhar nela é revigorante, por mais penoso que possa parecer. Após descermos a essas águas tão densas e frias, o cotidiano nos parecerá ainda mais leve, ainda mais rápido, ainda mais superficial.

Edgar Allan Poe condenou Nathaniel Hawthorne por sobrecarregar sua literatura com imagens rebuscadas, dissertativas e clericais, mas Jorge Luis Borges encontrou nele um escritor requintado, culto e onírico. Edgar Allan Poe tinha pressa, era descuidado com o próprio texto e fugia da religião, enquanto Jorge Luis Borges, um século depois, nasceu aristocrático e enciclopédico, encontrando em Hawthorne uma espécie de alma gêmea.

Talvez já não seja possível ler Nathaniel Hawthorne por prazer, mas devemos fazê-lo pela cultura, pela necessidade de conhecer a tradição e o passado. Nem Edgar Allan Poe nem Jorge Luis Borges teriam sido possíveis se antes deles não estivesse o Recluso de Salem, o neto do juiz que mandou queimar mulheres por feitiçaria, em um processo que ainda hoje incendeia a nossa imaginação.

Nikolai Vassilievitch GOGOL

✯ Sorotchinstsy, Ucrânia, 1809
✞ Moscou, Rússia, 1852

Filho de nobres rurais da Ucrânia, viveu em São Petersburgo como funcionário público e professor de História. Em 1836, a encenação de *O inspetor geral*, comédia que satiriza a corrupção dos funcionários do Estado, provocou a indignação da platéia de burocratas e burgueses. Mais tarde, fixou-se em Roma, onde concluiu a redação do primeiro volume de *Almas mortas*, romance que apresenta um quadro desalentador das condições de vida na Rússia rural. Gogol é considerado o introdutor do realismo na literatura russa: a personagem principal de *O capote*, Akáki Akákievitch, antecipa o anti-herói das narrativas do século XX. O realismo de sua obra é caracterizado pela visão satírica do cotidiano mesquinho e trivial. Ao criar uma literatura de acusação, Gogol lançou os fundamentos da literatura russa moderna. Sua linguagem ficcional é pioneira por romper com a influência européia dominante, mergulhando no folclore de sua terra.

Obras principais: *O capote*, 1835; *O nariz*, 1836; *Diário de um louco*, 1836; *O inspetor geral*, 1836; *Almas mortas*, 1842

Nikolai Vassilievitch Gogol

por Tanira Castro

Em 1831, Gogol estréia na literatura com o primeiro volume de *Noites na fazenda de Dikanka*, novela inspirada no folclore ucraniano e nas histórias tradicionais da Ucrânia, alcançando reconhecimento público. A partir da publicação do segundo volume, em 1832, iniciou uma bem-sucedida carreira literária. Renovador e vanguardista, trouxe para a literatura russa o realismo fantástico e escreveu algumas obras-primas. A novela histórica *Taras Bulba*, que aborda o conflito entre ucranianos e poloneses, colocou-o ao lado das grandes figuras da literatura russa. Em 1835, publicou *Arabescos*, *A avenida Nevski*, *O retrato* e *Diário de um louco*, conto que mistura realidade e sonho.

Mirgorod, publicada a seguir, dá seqüência a *Noites na fazenda de Dikanka*. Nessa mesma época, reescreve e conclui a farsa *O nariz*, outra importante obra em sua carreira literária: a história de um barbeiro que, durante o café da manhã, encontra um nariz dentro do pão e é acusado pela mulher de ter cortado o nariz de algum freguês no dia anterior. Com essa história bem-humorada e inverossímil, o escritor critica o medo que os cidadãos comuns tinham da polícia czarista, além de sua familiaridade com o absurdo. Em 1835, Púchkin lhe sugere os temas de *Almas mortas* e *O inspetor geral*, comédias que satirizam a sociedade, os funcionários do Estado e o governo czarista.

No entanto, alcançou a glória literária com *O inspetor geral*, embora tenha recebido severas críticas. Gogol decide, então, fixar residência em Roma, onde concluiu o primeiro volume de *Almas mortas*, romance que apresenta um quadro desalentador das condições de vida na Rússia rural. Durante quinze anos, dedicou-se a escrever obsessivamente os dois volumes de *Almas mortas*. Gogol é conhecido como o pai da literatura realista russa e o introdutor do realismo na literatura russa. *O capote* mistura o realismo ao fantástico, satirizando os costumes, o cotidiano mesquinho e a moral russa.

Assim, ao criar uma literatura de acusação, Gogol lançou os fundamentos da literatura russa moderna. Sua linguagem ficcional é pioneira por romper com a influência européia dominante, mergulhando no folclore de sua terra. Sempre interessado pela condição humana, satirizou o cotidiano, criticando as atitudes medíocres e frívolas de seus conterrâneos. Equiparado em importância nacional a Cervantes e Balzac, sua obra permitirá o surgimento de Tolstói e Dostoiévski. Observador fino, agudo, meticuloso e hábil em surpreender o ridículo, sincero ao expô-lo, mas inclinado, a despeito disso, à bufonearia, Gogol é, antes de tudo, um satírico cheio de "verve". Sua comicidade está sempre muito próxima da farsa, e sua alegria não é comunicativa. A razão disso é que, se ele quase sempre faz rir o leitor, deixa, porém, no fundo de nossa alma, um sentimento de desconforto.

Oscar WILDE

★ Dublin, Irlanda, 1854
✝ Paris, França, 1900

De família abastada, estudou em Oxford, onde liderou um movimento cultural que propunha o hedonismo extremado. *O retrato de Dorian Gray*, seu único romance, que possui inúmeras traduções em dezenas de línguas, desde o seu lançamento provocou reações simultâneas de ira e de admiração. Wilde também escreveu narrativas curtas, poemas e peças teatrais, sendo considerado o renovador da dramaturgia vitoriana. Em seus textos, critica a sociedade da época, marcada pelo preconceito e pelo apego às convenções. Sua obra caracteriza-se pela concisão verbal e pela elegância do estilo, veiculando uma visão de mundo amarga e crítica. Embora, no início de sua carreira, agisse como um *dândi*, devido ao comportamento extravagante e à prática da arte pela arte, seu talento superou os obstáculos e sua obra permanece como representativa da melhor literatura da passagem do século XIX para o século XX.

Obras principais: *O príncipe feliz e outros contos*, 1888; *O retrato de Dorian Gray*, 1891; *A importância de ser prudente*, 1895; *A balada do cárcere de Reading*, 1898; *De profundis*, 1905

Oscar Wilde

por Vicente Saldanha

Oscar Fingal O'Flahertie Wills Wilde é um autor normalmente associado a discussões estéticas e temas polêmicos. Sua vida e sua obra se entrelaçam e nos remetem a alguns aspectos importantes da Inglaterra vitoriana.

Iniciou sua carreira literária com poemas de inspiração clássica e sobre temas variados. Um deles, "Ravenna", recebeu um importante prêmio literário. Nele o poeta canta suas impressões sobre a famosa cidade italiana em versos decassílabos com rimas emparelhadas.

Em seguida, lançou *O príncipe feliz e outros contos*. Trata-se de uma coleção de contos de fadas, originalmente escritos para seus filhos, em linguagem elegantemente simples e atmosfera charmosa. Um bom começo para quem pretende iniciar-se na sua obra em prosa. Também merecem destaque outros contos, como "O fantasma de Canterville" e "A esfinge sem segredos".

Com o romance *O retrato de Dorian Gray*, Wilde afirmou sua filiação ao movimento estético da "arte pela arte", segundo o qual a arte seria auto-suficiente e não necessitaria servir a nenhum propósito moral ou político. É emblemático, nesse sentido, o prefácio da obra, composto de aforismos sobre a natureza da arte e da criação literária. A narrativa, em si, é uma fábula moderna que discute valores morais e estéticos da era vitoriana em uma tentativa de sobrepor-se à tendência moralizante das obras de ficção da época.

Além da poesia e da ficção, a obra teatral do escritor merece destaque. Entre suas peças, a mais conhecida é *A importância de ser prudente*. Trata-se de uma comédia de erros em que os personagens exprimem opiniões cáusticas sobre temas variados como arte, casamento e crítica literária.

O sucesso teatral do autor, porém, não durou muito. Seu envolvimento amoroso com lorde Alfred Douglas, um jovem aristocrata, desencadeou um longo e penoso processo criminal que levou à condenação do escritor a trabalhos forçados. De sua experiência na prisão resultou *A balada do cárcere de Reading*. O poema trata de um condenado à forca e das impressões de Wilde acerca do cárcere. O ritmo elegante e tristemente musical do texto, juntamente com as rimas nos versos pares, acentua a atmosfera opressiva e soturna da prisão. Mais tarde, Wilde escreveu *De Profundis*, uma longa carta dirigida a Alfred Douglas, que se tornou uma espécie de réquiem do tumultuado relacionamento e do próprio Wilde.

Hoje, passado mais de um século de sua morte, Oscar Wilde ainda é um autor que merece ser lido e apreciado. A leitura de seu romance, de seus contos, poemas e peças, além de propiciar uma viagem no tempo de volta à Inglaterra vitoriana, encanta pela elegância de suas palavras, pela espirituosidade, pela expressão de idéias anticonvencionais e por uma sensibilidade acentuada.

Raymond CHANDLER

★ Illinois, EUA, 1888
✞ Los Angeles, EUA, 1959

Depois do divórcio dos pais, em 1896, Raymond Chandler foi morar com a mãe em Londres. Jamais voltou a ver o pai. Criado na Inglaterra, seguiu sendo cidadão americano, embora sua mãe tenha se naturalizado inglesa. Voltou para os Estados Unidos em 1912 e durante a Primeira Guerra Mundial serviu nas forças canadenses e na britânica Royal Air Force. Tentou ser jornalista, empresário, detetive e até executivo de uma companhia de petróleo. Desenvolveu o gosto pela literatura e devorou livros durante a vida inteira. Em 1933, com 45 anos, conseguiu publicar seu primeiro conto na célebre revista *Black Mask*, da qual Dashiell Hammett era um dos donos. Imediatamente foi considerado um bom escritor, e seus contos passaram a fazer muito sucesso entre os iniciados na literatura *noir*. Seu primeiro livro, *O sono eterno*, foi publicado em 1939. Nele o protagonista já era Philip Marlowe, cujo caráter e personalidade foram desenvolvidos sob várias identidades em seus contos. A seguir publicou os romances *Adeus minha adorada*, *Uma janela para a morte*, *A dama do lago*, *A irmãzinha*, *O longo adeus* e *Playback*. Deixou inacabada a novela *Amor e morte em Poodle Springs*, que foi concluída pelo escritor Robert Parker com a permissão da família e publicada em 1989. Seus contos foram recolhidos e publicados em dois grandes volumes: *A difícil arte de matar* e *Um assassino na chuva*. Escreveu roteiros para Hollywood e teve todos os seus livros adaptados para o cinema, em filmes nos quais trabalharam grandes astros e estrelas de Hollywood, como Humphrey Bogart, Lauren Bacall, Robert Mitchum, Charlotte Rampling, James Stewart, Robert Montgomery, James Gardner, Elliot Gould, entre muitos outros. Tornou-se alcoólatra após a morte de sua mulher, em 1956, e morreu em Los Angeles, em 1959, consagrado com um dos maiores escritores americanos de todos os tempos.

Obras principais: *O sono eterno*, 1939; *Adeus, minha adorada*, 1940; *Uma janela para a morte*, 1942; *A dama do lago*, 1943; *A irmãzinha*, 1949; *O longo adeus*, 1953; *Playback*, 1958

Raymond Chandler

por Ivan Pinheiro Machado

Raymond Chandler foi uma das grandes personalidades da literatura americana do século XX. Pontificou no gênero policial *noir*, uma vertente, digamos assim, mais intimista e realista do que aquele tipo de literatura de "crime e mistério" que surgiu com Poe, Conan Doyle e Chesterton e que teve seguidores célebres como Agatha Christie, Ruth Rendell, Rex Stout e, de certa forma, Georges Simenon. Chandler e seu mestre Dashiell Hammett desprezavam essa comparação. Seus romances não tinham como elemento-chave o investigador superarguto e suas deduções geniais. Em vez de um elegante Hercule Poirot, de um curioso Padre Brown, de um impressionante Sherlock ou de seu pai literário, o inspetor Dupin, de Poe, encontramos homens comuns (ou quase) tentando ganhar a vida trabalhando por "25 dólares por dia mais despesas".

Philip Marlowe, o fascinante detetive de Chandler, figurou em oito romances como protagonista de tramas complicadas, numa época difícil, nos Estados Unidos em plena pós-recessão, um país marcado por incertezas e por uma legião de *losers* andando pelas ruas em busca de um meio para sobreviver. Philip Marlowe, como o detetive Sam Spade, de Hammett, é fruto desse país em crise, onde a construção da futura maior nação capitalista do mundo convivia com hordas de desempregados e aventureiros lutando pela vida. São homens da cidade, habituados a tensões e violência. Seus clientes seguidamente freqüentam o mesmo círculo social, e sua atuação nada tem de "genial" no que diz respeito à sagacidade e à técnica investigativa. Marlowe é um cara durão. Aliás, essa tradução de *tough guy* é um achado dos primeiros tradutores de Chandler, Hammett e seus companheiros da literatura *noir*. E tornou-se comum a todos os romances, sendo quase uma marca registrada do gênero. Os "durões" agüentavam porrada, toda a sorte de enrascadas, mas, no fundo, eram uns sentimentais. E, além disso, conviviam mal com os tiras que estavam sempre no seu pé. No magnífico *O longo adeus*, obra-prima de Chandler, o detetive Marlowe finaliza dizendo que "só os tiras não dizem adeus". Eles estão sempre lá, às vezes de favor, mas quase sempre prontos para impedir ou prejudicar as investigações privadas. Tiras não gostam de detetives particulares.

Parafraseando Nelson Rodrigues, pode-se dizer que nesses romances está "a vida como ela é". Os crimes, quando existem, são tão factíveis que nos dão a impressão de que são tirados dos tablóides populares. Ou seja, são fruto do lado obscuro do cotidiano em que vivemos. E os personagens andam no limiar daquilo que é legalmente aceitável. No caso de Chandler, temos um interessante retrato da Califórnia em meados do século XX. Los Angeles já é a meca do cinema, e freqüentemente atores de segunda categoria, assim como produtores fracassados, convivem com gângsteres, prostitutas de luxo, tiras corruptos, atrizes decadentes e figurões em busca de uma oportunidade para ganhar um bom dinheiro, seja limpo ou não. Se em *O longo adeus* temos um inesquecível livro sobre a amizade e a lealdade, em *Adeus, minha adorada, A dama do lago* e *A irmãzinha*, temos mulheres que acenam com histórias impossíveis, mas que geralmente balançam o melancólico Marlowe, homem de coração endurecido e esperanças roubadas pelas vicissitudes da vida. Sempre há uma mansão em Palm Beach ou Malibu. Sempre há um cliente recusado que volta uma, duas vezes, até que convence o sentimental Marlowe a aceitar o caso. E ele sempre pensa "eu não devia fazer isso". E sempre acaba se arrependendo. Irônico, homem de poucas palavras, como convém a um *tough guy*, o cínico Marlowe vai recolhendo material para desacreditar do gênero humano. E o fascinante é que ele sempre tem uma recaída. Chandler consegue deixar uma fresta de humanismo que faz com seu detetive cure a ressaca de *gimlet* ou *bourbon*, faça a barba a contragosto e volte para seu poeirento e antiquado escritório, onde o telefone toca muito raramente.

Ricardo Güiraldes

✯ Buenos Aires, Argentina, 1886
✞ Paris, França, 1927

De família abastada, Ricardo Güiraldes mudou-se muito cedo para a França, onde aprendeu a falar francês, alemão e castelhano. Em 1890, retornou a Buenos Aires, residindo alternadamente na cidade e na estância La Porteña, em San Antonio de Areco. Ali conheceu e aprendeu a estimar os gaúchos, cujos trabalhos, tradições, psicologia e expressão oral representa em sua obra. Em 1910, viajou a Paris, onde entrou em contato com as vanguardas literárias da época. Dessa relação nasceu o volume de poesia e prosa *O cinzeiro de cristal* (1915), que exerceu profunda influência sobre a poesia argentina e representou a transição entre o Modernismo e o Ultraísmo. A partir de *Rancho*, optou pela prosa. Em 1926, publicou seu romance *Dom Segundo Sombra*, que lhe valeu o Prêmio Nacional de Literatura. A obra de Güiraldes transcende os limites folclóricos ao criar uma linguagem própria, que amplia a gauchesca como criação formal, versada numa prosa poética que funde a herança regional e as vanguardas européias.

Obras principais: *Contos de morte e de sangue*, 1915; *Rancho*, 1917; *Dom Segundo Sombra*, 1926

Ricardo Güiraldes
por Joana Bosak de Figueiredo

Dom Segundo Sombra, obra literária maior do escritor argentino Ricardo Güiraldes, foi considerada em 1926, pelo escritor e crítico Leopoldo Lugones, a síntese da nacionalidade argentina. Para Lugones, a identidade nacional argentina foi inicialmente desenvolvida em termos literários por Domingo Faustino Sarmiento, em 1845, quando o futuro presidente da República cindiu a Argentina entre civilização e barbárie ao demonizar seu rival e antecessor político Juan Manuel de Rosas em *Facundo*. A antítese veio com *Martín Fierro*, de José Hernández, escrito na fronteira do Brasil e do Uruguai. Se *Facundo* colocava o gaúcho como uma aberração gerada pela conjunção de raças inferiores em um ambiente inóspito e desfavorável ao desenvolvimento de uma civilização aos moldes da européia, *Martín Fierro* era justamente o seu paradoxo: um libelo que colocava o *gaucho malo* como conseqüência de uma sociedade injusta e desigual que o obrigava a optar por essa suposta barbárie.

O gaúcho apaziguado de Güiraldes é representado em duas frentes: o experiente peão Dom Segundo é um mestiço sábio em seus ofícios campeiros. Além do papel de unir mestiçagem e equilíbrio a uma personagem anteriormente ligada à guerra, o velho peão é responsável pela educação de um "guacho", o bastardo Fabio Cáceres. Verdadeiro romance de formação, ao contrário de muitas análises já feitas, *Dom Segundo Sombra* conta a construção da identidade individual de um filho natural que, passando pelo aprendizado de ser gaúcho, se descobre patrão, porque herdeiro do dono da fazenda. A identidade revelada do protagonista termina por unir as pontas da antiga dicotomia sarmienteana que de alguma maneira era reforçada por Hernández. Fabio Cáceres reuniu a transição de *Facundo* a *Fierro* transcendendo essas posições. Seu meio-termo exalta o gauchismo ligado às massas camponesas através da figura de Dom Segundo, ao mesmo tempo em que prova a possibilidade da ascensão social – ainda que quase milagrosa – e da erudição do protagonista. O gaúcho que conta a história, o próprio Fabio, já entrado em anos, prepara-se para ser peão, mas ao se descobrir herdeiro tem a chance de ilustrar-se e correr mundo. A dúvida maior que carrega é se deixaria de ser *gaucho* por tornar-se patrão. O sábio Dom Segundo resolve a questão ao vaticinar que o verdadeiro gaúcho é o que carrega esse orgulho dentro de si.

A produção literária anterior de Güiraldes é considerada pela crítica como justificativa para sua obra maior. Resultado de um processo de escritura em territórios íntimos – a fazenda de seu pai – e alheios – a festiva Paris dos anos 1920 –, o livro que levou cerca de sete anos (1919-1926) para ser finalizado – *Dom Segundo Sombra* – é o último estertor de um autor argentino em busca de si mesmo e da identidade de sua pátria.

Robert Louis STEVENSON

☆ Edimburgo, Escócia, 1850
✝ Vailima, Samoa, 1894

Filho de um engenheiro civil, estudou Direito, abandonando o curso para dedicar-se à literatura. Residiu na França e, depois, na Escócia. Em 1883, publicou o romance *A ilha do tesouro*, obtendo prestígio imediato junto ao público. Em suas obras de ficção, Stevenson manteve o gosto pela aventura e pelo fantástico, com notável capacidade de análise psicológica das personagens. O livro que lhe deu maior popularidade, no gênero de romance de aventuras, foi *O médico e o monstro*, no qual aborda as duas naturezas antagônicas da alma humana. Seus últimos romances reproduzem a frustração do homem diante do contraste entre o desejo e a realidade. Ensaísta, autor de livros infantis, somente depois de sua morte passou a ser considerado um autor vigoroso e original.

Obras principais: *A ilha do tesouro*, 1883; *O médico e o monstro*, 1886; *A flecha negra*, 1888; *O senhor de Ballantrae*, 1889; *As aventuras de David Balfour*, 1893; *Nos Mares do Sul*, 1893

Robert Louis Stevenson

por Jaime Cimenti

Por que ler os clássicos? Ítalo Calvino já nos disse por que na sua famosa obra, e vale a pena conferir. Mas por que ler Robert Louis Stevenson, um clássico contador de histórias, falecido em 1894? Está certo, em vida sua reputação literária flutuou. Uns o chamavam de ensaísta afetado, sem originalidade, outros diziam que era apenas autor de narrativas para crianças (como se isso fosse pouco). Passados cinqüenta anos de sua morte, os julgamentos do tempo e do público (os que mais importam) lhe fizeram justiça, assim como a avaliação da crítica mais desapaixonada, feita com a ajuda do tempo e do distanciamento necessário.

A ilha do tesouro e *O médico e o monstro*, clássicos, entre outros trabalhos, colocaram o contista, poeta, ensaísta, romancista e escritor de obras infanto-juvenis, para sempre, no restrito rol dos melhores autores de literatura do mundo. Homem de saúde frágil, depois de muito andar pelo mundo obrigou-se a viver numa das ilhas Samoa até morrer, prematuramente, aos 44 anos. Os nativos o adoravam e o chamavam de Tusitala, contador de histórias. Autor também de *A flecha negra*, *Tales and novels*, *New Arabian Nights*, dois volumes, *Nos Mares do Sul* e do maravilhoso livro de poemas para crianças *A Child's Garden of Verses* (1885), além de muitos outros trabalhos ensaísticos e de ficção, Stevenson, na vida, tinha dois grandes interesses: escrever e se divertir.

Mas o certo é que seu gosto por viagens, aventuras, divertimento e fantasia produziram uma obra maior. Seus melhores ensaios analisam com percuciência a condição humana. Suas narrativas, além de grandes doses de imaginação, ação e criatividade, trabalham aspectos de topografia, história e vão fundo, muito fundo, na análise psicológica, refletindo sobre aspectos morais relevantes. Especialmente em *O médico e o monstro*, o escritor escocês aborda com profundidade as divisões e as naturezas antagônicas da alma humana. Seus poemas, embora não demonstrem genialidade extrema, são bem-escritos, originais e, no caso de *A Child's Garden of Verses*, reveladores de uma sensibilidade especial. Seus contos trabalham muito bem a ironia, o horror, o suspense e os diagnósticos morais. Enfim, o tempo, os leitores, os nativos de Samoa e os críticos estão certos: Stevenson é um excelente contador de histórias, um imortal narrador. Sabia como contar e tinha muito a dizer. Essa combinação sempre funcionou. Para alegria dos leitores que gostam de leitura com prazer.

RUDYARD KIPLING

★ Bombaim, Índia, 1865
✝ Londres, Inglaterra, 1936

Levado pelos pais para a Inglaterra aos seis anos de idade, retornou à Índia ainda jovem, trabalhando como jornalista. Publicou vários livros de poemas e contos baseados na vida da Índia colonial, o que lhe trouxe grande popularidade. Dedicou-se também a escrever histórias de aventuras, com ação centrada em personagens infantis. Uma dos mais populares é *O livro da selva*. Considerado um dos grandes mestres da contística moderna, suas obras, geralmente ambientadas na Índia, procuram exaltar o valor e a missão educadora dos ingleses no Oriente. A postura ultranacionalista do escritor acabou provocando tamanha rejeição por parte da crítica que nem mesmo o Prêmio Nobel de Literatura, recebido em 1907, conseguiu evitar. Só muito mais tarde, Kipling foi amplamente reconhecido como um verdadeiro mestre da narrativa.

OBRAS PRINCIPAIS: *O livro da selva*, 1894; *O segundo livro da selva*, 1895; *Kim*, 1901

RUDYARD KIPLING

por Adriana Dorfman

O livro da selva é composto de sete contos ambientados em florestas, planícies e mares, protagonizados por animais e crianças como Mogli, criado pelos lobos e educado pelos professores da selva. A obra é usualmente classificada como literatura infantil, o que possivelmente se deva à escolha dos protagonistas, mas oferece muito também aos adultos.

A temática central dessas histórias é a convivência entre grupos de homens e animais, ora na oposição entre presas e caçadores, ora em situações de cooperação entre os habitantes da selva. Batalhas e diálogos ágeis acrescentam dinamismo às vívidas descrições dos personagens.

Os contos compartilham uma tensão entre as classificações (e outras cristalizações como a tradição, as regras, etc.) e as mudanças possíveis entre as classes: o menino que se torna selvagem ganha em sabedoria e força, mas fica permanentemente sem lugar; a foca branca (atenção à cor) empreende uma busca solitária por um lugar melhor para a colônia e só tem sua contribuição reconhecida depois de vencer, um a um, os membros de seu grupo; o pequeno cuidador de elefantes, por sua coragem, deixa o povo das planícies e é aceito entre os montanheses.

O livro da selva é fruto da experiência de colonização britânica na Índia, que durou até 1947. Tendo sido escrito há mais de um século, ilustra um momento da cultura em que a classificação em tipos nacionais ou raciais organizava o mundo, servindo também para justificar a dominação daquelas terras pelo Homem Branco (a expressão é de Kipling), conforme mostra o diálogo entre um chefe político da Ásia Central e um oficial britânico, diante das evoluções executadas por animais em uma parada militar:

> – Como é que conseguiram fazer aquela maravilhosa manobra? (...)
> – Eles obedecem, como fazem os homens. A mula, o cavalo, o elefante ou o boi obedecem a seu condutor e o condutor a seu sargento e o sargento a seu tenente, e o tenente ao capitão, e o capitão ao major e o major ao coronel, e o coronel ao seu brigadeiro, que comanda três regimentos, e o brigadeiro ao seu general, que obedece ao vice-rei, que é servo da Imperatriz. É assim que as coisas são feitas.
> – Quem dera as coisas fossem assim no Afeganistão – disse o chefe –, pois lá obedecemos somente às nossas vontades.
> – É por essa razão – disse o oficial, enrolando o bigode – que o seu emir, a quem vocês não obedecem, tem que vir aqui receber ordens do nosso vice-rei.

Vale notar que tais classificações estanques são produzidas por um escritor entre dois mundos, o que hoje é considerado suficiente para inspirar hibridismos. Os conflitos latentes entre as ordens estabelecidas – seja pelo domínio colonial, pelas castas indianas ou pelas leis da selva – vivem entre as páginas de Kipling, o que testemunha sua força criativa.

SÓFOCLES

★ Colona, Grécia, 495 a.C.
✝ Atenas, Grécia, 406 a.C.

Sófocles é considerado, juntamente com Ésquilo e Eurípedes, um dos três grandes poetas dramáticos da Grécia Antiga. Mestre incomparável da dramaturgia, inovou a construção e a técnica teatrais de seu tempo, elevando o número de integrantes do coro, acrescentando um terceiro ator e substituindo a trilogia unida pela livre, em que cada drama formava um todo. Em sua obra, Sófocles não responsabiliza o homem pelo ato consumado, mas por sua intenção, porque as intenções do indivíduo nem sempre se realizam por vontade própria, dependendo também da cooperação de atos alheios ou do acaso. Exprimindo uma visão de mundo fatalista, pois acreditava na intervenção da "moira" ou destino, Sófocles soube captar o sofrimento, a dúvida e os sentimentos humanos. Tanto é que sua obra serviu de subsídio para Aristóteles, em sua *Poética*, e para Freud, muitos séculos depois, quando formulou as teorias da Psicanálise.

Obras principais: *Antígona*, c. 415; *Édipo Rei*, c. 425; *As traquínias*, c. 420; *Electra*, c. 415; *Édipo em Colono*, c. 401

Sófocles

por Ivo Bender

Sempre que referimos a tragédia, enquanto gênero dramático, vem-nos à mente o *Édipo Rei*, de Sófocles. Embora existam, entre as cerca de três dezenas de textos trágicos remanescentes, outras tragédias exemplares, nenhuma alcança o mesmo nível de construção de *Édipo Rei*. Ao correr de seus 1.810 versos, Sófocles nos apresenta a trajetória de um homem que, ao amanhecer do dia trágico, se encontra no mais alto patamar de segurança e poder e que, ao cair da noite, vê-se aniquilado.

Embora Édipo tenha resolvido o enigma da Esfinge e, com isso, ganho o trono e a mão da rainha, mesmo que se esforce para livrar Tebas da peste e ainda seja o mesmo homem pleno de virtude, nada poderá libertá-lo de seu passado. Sequer os deuses, em tudo mais onipotentes, têm como travar a engrenagem trágica, uma vez acionada pelo Destino.

Supondo conhecer sua ascendência, Édipo descobrirá o equívoco em que sempre viveu e que, para sua infelicidade, ele próprio irá desfazer. Nesse sentido, é reveladora a observação do adivinho Tirésias ao dizer para o rei: "Verás num mesmo dia teu princípio e teu fim" (v. 528).

Nascido para matar o pai e desposar a própria mãe, Édipo, sem suspeitar, dá todos os passos necessários para que seu destino se realize por completo. Ao final do drama, Édipo está cego, mas é, finalmente, conhecedor de sua identidade e passa a experimentar todos os males que lhe advêm desse conhecimento.

Se no plano individual a catástrofe é absoluta, no plano coletivo dá-se o contrário – Tebas está liberta da peste, as searas voltarão a frutificar e as mulheres tornarão a dar à luz. E, pairando acima das ruínas da casa real e acima de Tebas liberada, o Destino tem mais uma vez referendada sua incompreensível ação.

Édipo Rei estreou por volta de 430 a.C., nas Grandes Dionisíacas, em Atenas. A peça não recebeu o primeiro prêmio embora, como quer Aristóteles em sua *Poética*, provoque "terror e piedade" até mesmo à simples leitura, sem a necessidade da encenação.

Somerset MAUGHAM

✯ Paris, França, 1874
✞ Nice, França, 1965

Filho de diplomata britânico, estudou Medicina em Londres. Seu primeiro romance, *O pecado de Liza*, inspirado na prática médica, levou-o a dedicar-se exclusivamente à literatura. Seu prestígio consolidou-se com o romance *Servidão humana*, considerado sua obra-prima. Durante a década de 1920, Maugham realizou várias viagens pelo mundo e, em 1928, fixou residência em Cap Ferrat, no sul da França. Suas histórias, que incluem, além de romances, contos e peças teatrais, se passam tanto nos salões e encontros para o chá em Londres quanto numa choupana dentro de uma floresta numa remota ilha dos Mares do Sul, locais onde descreve seus personagens com grande desenvoltura. Em seus *Contos completos*, encontram-se os melhores momentos do escritor, pela vívida descrição dos cenários e pela resolução precisa da trama. Além do estilo claro e preciso, sua obra se destaca por uma penetrante visão da natureza humana.

Obras principais: *O pecado de Liza*, 1897; *Servidão humana*, 1915; *Um gosto e seis vinténs*, 1919; *Histórias dos Mares do Sul*, 1921; *O fio da navalha*, 1944; *Contos completos*, 1951

Somerset Maugham

por Marlon de Almeida

Este prolífero autor britânico – embora tenha nascido em Paris, onde seu pai servia como advogado da embaixada britânica – estreou na literatura com a obra *O pecado de Liza*, mas foi com *Servidão humana*, romance em parte autobiográfico, que ele obteve reconhecimento.

Antes desse romance, porém, já havia experimentado, sem muito sucesso, a pintura e a dramaturgia como expressões de seu irrequieto espírito artístico. Aliás, entre suas peças, *Lady*

Frederick representou a exceção com a qual conseguiu dinheiro para realizar viagens que lhe serviriam de inspiração para compor cenários e tipos diversos e, ao mesmo tempo, únicos se os considerarmos como ilustrativos do comportamento das pessoas de qualquer parte. Mas, enfim, o ritmo rápido de Maugham, seu humor ácido e sua habilidade, sobretudo na condição de contador de histórias, emolduradas não raro por diálogos primorosos, ajudaram-no a se tornar popular por meio do gênero narrativo.

Entre seus vários livros, podemos citar, como sugestão de leitura inicial, *Histórias dos Mares do Sul*, extraordinária coletânea de contos inspirados em sua experiência de vida no Oriente. Nesse saboroso livro, encontramos um tema recorrente em sua obra: o amor e seus desdobramentos. Entretanto, aqui ele aparece como aparente coadjuvante do confronto entre a civilização e a barbárie. Mas não nos enganemos, pois suas formas – ora apresentadas em estado bruto, puro, ora flagradas em suas mazelas –, da abnegação ao fastio, levam o leitor a uma espécie de estranho desconforto concomitante à sensação de prazer, rumo a que somente a hábil mão do autor parece conduzir.

Já *O fio da navalha* contextualiza-se em cenário híbrido: Paris e Extremo Oriente. Porém, a temática de fundo permanece a mesma: a exploração da precária condição humana, que é feita com a costumeira sensibilidade. De Somerset Maugham também podemos destacar *Um drama na Malásia*, *A hora antes do amanhecer* e suas narrativas/ensaios de viagem como *Confissões*, *Biombo chinês* e *Dom Fernando*.

STENDHAL

☆ Grenoble, França 1783
✝ Paris, França, 1842

Pseudônimo de Marie-Henri Beyle, desde cedo manifestou tendências republicanas e anticlericais, em dissonância com o meio em que vivia. Devido a essas tendências, participou da campanha de Napoleão, na Itália, como integrante do Regimento de Dragões. Depois disso, abandonou o exército para dedicar-se à literatura, mas a ele retornou por necessidades financeiras. Com a queda do Império Napoleônico, mudou-se para Milão, vindo a exercer outras funções e cargos públicos na Itália e na França. Autor de um estilo sóbrio, criou personagens de grande complexidade psicológica, que se debatiam entre a conduta racional e o comportamento sensual. Embora tenha escrito seus romances em pleno Romantismo, a isenção de sentimentalismo e as profundas análises de personagens caracterizam sua obra como representativa do Realismo francês.

Obras principais: *O vermelho e o negro*, 1830; *A cartuxa de Parma*, 1839

Stendhal

por Carlos Jorge Appel

Celebrizado sob o pseudônimo de Stendhal, Henri Beyle viria universalizar o conceito de *beylismo*, que postula a valorização da felicidade como fator vital para a consecução da plenitude humana. Em *Racine e Shakespeare* (1823), um dos mais vigorosos manifestos românticos, incompreendido até mesmo por Victor Hugo, Stendhal revela uma lucidez anti-sentimental que rompe com os postulados românticos vigentes até então na Europa. Balzac o saúda como um gênio, em 1840, e diz que ele escrevia "para seus contemporâneos de inteligência já realista". Convém lembrar que sua infância e adolescência transcorreram em meio às profundas transformações históricas da Revolução Francesa e ao advento da Era Napoleônica. Em dissonância com o meio em que vivia, com sérios problemas de relacionamento familiar, cedo manifestou tendências anticlericais e republicanas, visíveis em suas crônicas, ensaios e romances. Participou da campanha de Napoleão na Itália como ajudante-de-campo do general Michaud, viajou e conheceu de perto a cultura italiana, seus pintores, escultores, músicos e escritores e elegeu Milão como sua cidade preferida. Essa vivência foi fundamental para seus ensaios *A vida de Napoleão*, *Do amor*, *A batalha de Waterloo* e o romance *A cartuxa de Parma*.

Forjou a palavra "egotismo" para designar a psicose romântica de palavroso subjetivismo sentimental e contrapôs-lhe uma arte de ser individualmente feliz, sem ilusões, à base do conhecimento possível dos homens, das circunstâncias que os modelam e do progresso social inevitável. Contrapôs a objetividade da tradição iluminista à histeria sentimentalista, ao sonho medievalista ou fantasmagórico. Graças ao seu domínio intelectual, Stendhal se tornaria o mestre do melhor realismo já encartado na segunda metade do século XIX. Seu estilo é a consumação perfeita de um pensamento e de uma funda experiência que se exprimem, sobretudo, em seus romances *O vermelho e o negro*, *A cartuxa de Parma* e *Lucien Leuwen*, romance incompleto e editado em 1901, que Otto Maria Carpeaux considera o melhor de sua obra. Dele diria Nietzsche: "Stendhal, esse notável precursor que, qual Napoleão, percorreu a *sua* Europa, os vários séculos de alma européia, iluminando-a e descobrindo-a; foram necessárias duas gerações para compreendê-lo, para adivinhar alguns dos enigmas que o exaltavam, a ele, epicurista admirável e curioso indagador, que foi o último grande psicólogo da França".

Thomas HARDY

☆ Higher Bockhampton, Inglaterra, 1840
✝ Dorchester, Inglaterra, 1928

Oriundo de uma família de classe média, formou-se em Arquitetura e trabalhou na restauração de edifícios antigos, enquanto escrevia poemas que só publicaria na maturidade literária. Escreveu o primeiro romance, *O pobre e a dama*, em 1868, mas não conseguiu publicá-lo. A consagração literária veio com *Longe da multidão enlouquecida*, no qual a preferência por temas regionais se afirma como uma constante. Característica dos romances de Hardy é a observação precisa da dor humana, o respeito por ela e um apurado senso de humor. Além de romances, escreveu contos e poemas. No rico panorama da literatura britânica de meados do século XIX e começo do século XX, a obra de Thomas Hardy, ambientada no sul da Inglaterra, destaca-se pelo tom acentuadamente sombrio e pessimista, mas não isento de humor, e pela utilização da linguagem regional.

Obras principais: *Longe da multidão enlouquecida*, 1874; *A volta do nativo*, 1878; *Contos de Wessex*, 1888; *Tess*, 1891; *Judas, o obscuro*, 1895; *A bem-amada*, 1897

Thomas Hardy

por Rafael Bán Jacobsen

A máxima de Tchekhov, "canta a tua aldeia e cantarás o mundo", encontra formidável expressão na obra de Thomas Hardy. Nascido em Dorset, sul da Inglaterra, ambientou seus romances no fictício condado de Wessex, cujas paisagens foram modeladas tendo por inspiração os condados reais de Dorset, Devon, Hampshire, Somerset, Beckshire e Wiltshire. Hardy utilizou Wessex como uma espécie de espelho de várias importantes questões que vinham à tona na Inglaterra e em todas as sociedades recém-industrializadas no final do século XIX e início do século XX: o problema das classes sociais, o impacto da ciência moderna sobre a religião e a filosofia convencionais, a devastação de comunidades rurais pelas novas tecnologias, o dúbio padrão de comportamento sexual, conservador e moralista na superfície, mas libertino na prática.

Assim, mesmo estando "longe da multidão enlouquecida", a Wessex de Hardy não se configura tão inocente ou pacífica quanto se poderia imaginar. Ao contrário, é palco de tramas de sedução, desonra e morte (*Tess*), amores fracassados, concubinato e desestruturação familiar (*Judas, o obscuro*), paixões inconstantes e levianas, mesmo que fomentadas pelos mais elevados propósitos (*A bem-amada*), ou que nos falam, ainda, de mulheres independentes e relacionamentos baseados francamente na sexualidade (*Longe da multidão enlouquecida*). Todos os enredos são abrilhantados com evocativas descrições da vida rural e suas paisagens, com a captura e o registro da rica linguagem regional, sem falar das personagens complexas e densas que protagonizam as obras.

Importante de se notar é que, mesmo tendo vida própria, as personagens de Hardy estão sempre em luta vã contra suas paixões, seus instintos e a força das circunstâncias externas. Desse viés determinista, misturado ao elemento sexual, juntamente com a discussão dos limites entre instinto e vontade, surge a identificação feita por muitos da obra de Hardy com a estética naturalista. Todavia, a sua escrita, permeada pelo pessimismo e pela refinada ironia, transcende os ditames dessa escola, sendo poderosa na apreensão de nuances psicológicas e detalhes de ambiente ou trama, que se constituem sempre em símbolos de realidades interditas muito mais do que meros elementos de descrição didática ou cientificista.

O crítico G. K. Chesterton escreveu que Hardy "se tornou um ateu do vilarejo refletindo e blasfemando contra os idiotas do vilarejo". Na Inglaterra vitoriana, Hardy de fato pareceu um blasfemo, particularmente em *Judas, o obscuro*. As críticas sobre esse livro foram tão ásperas, que o autor anunciou estar "curado" de escrever romances. Os outros trinta anos de sua carreira literária foram dedicados à poesia. Porém, a verdade é que, nessa ocasião, já havia muito pouco para Hardy escrever como ficcionista, tendo se esgotado o crescente tom fatalista de seus romances, sendo *Judas* o pináculo desse processo de criação prolífico e intenso que assegurou a Thomas Hardy uma posição de destaque no panorama de nossa literatura.

THOMAS MANN

✯ Lübeck, Alemanha, 1875
✞ Zurique, Suíça, 1955

Thomas Mann fez seus primeiros estudos em Lübeck, sua cidade natal, completando sua formação em Munique, onde viveu até 1933, dedicando-se exclusivamente à literatura. Sua obra descreve a decadência da cultura tradicional européia. Durante a Primeira Guerra Mundial, aliou-se aos que defendiam o nacionalismo alemão; no entanto, o contato com o nazismo levou-o a rever suas posições. Com a ascensão de Hitler ao poder, exilou-se na Suíça, mudando-se, em 1938, para os Estados Unidos, país cuja nacionalidade adquiriu. Essa mudança de visão política já se manifestara em *A montanha mágica*, obra alegórica que alerta para os perigos do militarismo na Europa. Em *Doutor Fausto*, aborda a decadência e a corrupção moral advindas do surgimento do nazismo. Fiel às concepções narrativas clássicas, renovou-as através de um estilo rico, matizado pelo humor e pela ironia. Recebeu o Prêmio Nobel de Literatura em 1929.

OBRAS PRINCIPAIS: *Os Buddenbrooks*, 1901; *Tonio Kröger*, 1903; *A morte em Veneza*, 1912; *A montanha mágica*, 1924; *Doutor Fausto*, 1947

THOMAS MANN
por Antônio Sanseverino

Thomas Mann vive a passagem para a modernidade. Passa pela República de Weimer, pela ascensão do nazismo e, no exílio, vê a Segunda Guerra Mundial. Como intelectual reconhecido, obedece ao imperativo do dia. Durante a Primeira Guerra Mundial, publica *Considerações de um apolítico*, em que defende a posição alemã na guerra apelando para o nacionalismo. No final dos anos 1920, o romancista dá uma guinada para criticar a atuação nazista, indo para o exílio. Nos Estados Unidos, será uma referência para a resistência alemã. Nos anos 1950, por sua autonomia, é obrigado a voltar à Europa devido à Caça às Bruxas, vindo a morrer na Suíça.

Em seu primeiro romance, *Os Buddenbrooks*, narra a decadência de uma tradicional família de comerciantes que, a cada geração, tende a uma crescente espiritualização. Em *A morte em Veneza*, Aschenbach, romancista consagrado, se entrega à paixão por um jovem polonês em Veneza. O artista sucumbe à sua paixão e cai morto anonimamente na rua. O ideal de beleza clássica, encarnado pelo jovem efebo, é movimento de queda em direção à destruição. A concepção de arte de Mann, influenciada por Schopenhauer, encaminha o escritor para a vida contemplativa, afastando-se da vontade cega de viver e aproximando-se da doença e da morte. Essa tensão marca a primeira fase de sua obra, de tal modo que leva Aschenbach à morte.

Em *A montanha mágica*, o romancista chega à consagração do Prêmio Nobel e inaugura uma nova fase em sua obra. Hans Castorp, jovem engenheiro naval, se afasta do mundo e se dirige a Davos para visitar o primo Joachim, antes de iniciar na profissão. Termina permanecendo sete anos, durante os quais passa por uma transformação em meio aos doentes. Ao final, desce à planície atendendo ao imperativo do dia, que o leva a abdicar da morte e optar pela vida, mesmo retornando para um mundo de guerra e destruição.

Durante a Segunda Guerra, Thomas Mann compõe a tetralogia de *José* (1933-43) e *Doutor Fausto*. Iniciado em 1943 e terminado logo após o fim da guerra, usando o modelo da biografia, *Doutor Fausto* apresenta a história de Adrian Leverkuhn. Misto de Nietzsche e Schönberg, o compositor representa o isolamento do artista moderno (de um lado) e da Alemanha (de outro). A personagem, supostamente, vende sua alma ao diabo, isolando-se em sua frieza. O narrador, Serenus Zeitblom, testemunha o horror da guerra e o fim de seu amigo. O mito fáustico retorna no núcleo da história, como regressão monstruosa, inaceitável aos olhos do humanista Zeitblom, que, como narrador, mantém a distância, deixando a narração fantástica restrita às palavras de seu amigo músico.

Vivendo sob o impacto das vanguardas, Mann não abandona o realismo. Trata-se, no entanto, de uma representação da realidade permeada pela ironia de um espírito que capta as contradições da história. Um tema recorrente, a doença (tuberculose e sífilis) expressa a relação da época com o indivíduo, levando ao afastamento da vida prosaica e à possibilidade do autoconhecimento: "O homem não vive apenas a sua vida individual; consciente ou inconscientemente participa também da vida da sua época e de seus contemporâneos". Com o trecho retirado de *A montanha mágica*, podemos dizer que as personagens de Thomas Mann (Aschenbach, Tönio, Castorp, Leverkuhn) são mais do que indivíduos: são forças vivas que encarnam os dilemas modernos.

Umberto ECO

⋆ Alessandria, Itália, 1932

Juntamente com sua geração, coube-lhe retomar a tradição de pensadores e da vanguarda italiana que a ditadura fascista abafara em nome de um nacionalismo programático. Além de escrever romances, ocupa-se com textos teórico-críticos, decorrentes de suas reflexões como professor universitário, interessado nas teorias da comunicação e na semiótica. Seu romance *O nome da rosa* recupera as origens da literatura e da tradição cultural dos mosteiros medievais, cujo mundo é representado por uma biblioteca fantástica que termina incendiada, como a de Alexandria. O assassinato dos leitores do livro, supostamente a *Arte poética*, de Aristóteles, na parte destinada à comédia, serve de pretexto para a denúncia da Inquisição. Por contribuir para a atualização e a divulgação da cultura italiana, Umberto Eco é considerado um dos escritores mais importantes do século XX.

Obras principais: *O nome da rosa*, 1980; *O pêndulo de Foucault*, 1988; *A ilha do dia anterior*, 1994; *Baudolino*, 2001

Umberto Eco
por Juarez Guedes Cruz

Nascido em 1932, na pequena cidade de Alessandria (Itália), Umberto Eco é conhecido, no meio universitário, por seus estudos nas áreas da filosofia, da lingüística, da semiótica e da estética. Entre seus ensaios mais conhecidos nesses campos, destacam-se: *Obra aberta* (1962), *A definição da arte* (1968), *Tratado geral de semiótica* (1975), *O conceito de texto* (1984), *Semiótica e filosofia da linguagem* (1984), *Sobre o espelho e outros ensaios* (1985), *Os limites da interpretação* (1990), *A busca da língua perfeita* (2001) e *A história da beleza* (2004). Esse é o Eco para os especialistas, para os estudiosos e acadêmicos.

Mas existe um outro Eco, para aqueles que buscam o prazer estético liberto do compromisso com a teoria: o Umberto Eco ficcionista e ensaísta na área da literatura. No terreno da ficção, bastaria citar aqui dois romances: *O nome da rosa*, em que um monge, Guilherme de Baskerville, investiga uma série de crimes que ocorrem em um monastério do século XIV, e *A misteriosa chama da Rainha Loana*, em que um personagem amnésico reconstitui a trajetória de sua vida através da história de suas leituras e das citações dos textos que freqüentou durante sua existência.

No que se refere aos ensaios literários, destaco *Seis passeios pelos bosques da ficção* (1994). É uma daquelas obras escritas como quem conversa com o leitor, desenvolvendo-se de modo cativante da primeira à última página. Entre outras concepções expostas no livro, Eco volta a abordar a idéia, já presente em *Obra aberta*, de que, em uma narrativa ficcional, há sempre a presença do leitor, que se torna "um ingrediente fundamental não só do processo de contar a história, como também da própria história". Outro livro a ser lembrado é *Sobre a literatura* (2002), reunião de dezoito ensaios com títulos tão instigantes quanto "Sobre algumas funções da literatura", "Borges e a minha angústia de influência", "A força do falso" e "Como escrevo".

Deixo para o final minha preferência inconteste: os dois diários mínimos de Eco. Coletâneas de artigos originalmente publicados em revistas italianas, *Diário mínimo* e *Segundo diário mínimo* contêm deliciosas paródias literárias escritas com uma ironia inigualável. Apenas para motivar o leitor desta nota, eis aqui alguns dos títulos dos ensaios: "Como falsificar Heráclito", "Projeto para uma faculdade de Irrelevância Comparada", "Como defender-se das viúvas" e "Vozita" (uma tragicômica paródia da *Lolita*, de Nabokov, em que a personagem é um apaixonado pelas avós, *essas criaturas já marcadas pelos rigores de uma idade implacável*). Isso apenas para dar uma pálida notícia a respeito da ironia e da erudição que perpassam toda a obra de Umberto Eco e que, nos diários mínimos, atingem seu ponto mais alto, tornando a leitura de seus textos um exercício lúdico e prazeroso do pensamento. O desejo, depois de ler tais livros durante alguns minutos, é contratar Umberto Eco como um *personal trainer* mental para o dia todo.

Victor HUGO

★ Besançon, França, 1802
✝ Paris, França, 1885

Filho de um general do Império, Victor Hugo passou parte da infância na Itália e na Espanha, acompanhando o pai, que estava a serviço de Napoleão. Fixando-se em Paris, abandonou os estudos de Direito para dedicar-se à literatura. Fervoroso admirador de Chateaubriand, é premiado em concursos de poesia de caráter nacional. *Cromwell*, sua primeira peça teatral (1827), ficou conhecida sobretudo pelo prefácio, em que fazia a defesa do drama romântico. Nesse texto, opondo-se ao Classicismo, propôs o abandono das três unidades dramáticas e a mistura dos gêneros, com a coexistência do sublime e do grotesco. Em 1841, foi eleito para a Academia Francesa e, em 1845, nomeado Par de França por Luís Felipe. Como político, foi de início conservador; porém, com a Revolução de 1848, tornou-se republicano, passando a combater Napoleão III. O golpe de 1851 levou-o ao exílio por quase vinte anos, um período fecundo da carreira do escritor que foi recebido com triunfo em seu retorno à França. Considerado um dos escritores mais representativos do Romantismo europeu, Victor Hugo influenciou fortemente a literatura ocidental.

Obras principais: *Hernani*, 1830; *Ruy Blas*, 1838; *Contemplações*, 1856; *A lenda dos séculos*, 1859; *O corcunda de Notre-Dame*, 1831; *Os miseráveis*, 1862; *Os trabalhadores do mar*, 1866

Victor Hugo

por Helena Tornquist

Victor Hugo se destacou não só como intérprete das idéias que agitaram o século XIX na política e nas artes, mas também como autor marcado pela fecundidade e pela diversidade de uma produção literária que contemplou os principais gêneros da época – poesia, teatro, romance e crítica.

Acentuadamente subjetivos, os poemas de *Odes e Baladas* já anunciavam a destreza no manejo do verso que se aperfeiçoaria em *Orientais*. Nessas obras, publicadas nos anos 1820, como nas que viriam depois, em versos marcados pela plasticidade e pelo ritmo, uma poderosa imaginação criava um mundo de imagens e símbolos que penetrava fundo na alma romântica. Numa época em que o teatro gozava de grande prestígio, o vigor do pensamento de Victor Hugo manifestou-se sobretudo nos textos dramáticos.

Se no início teve problemas com a censura, com o tempo sua obra seria reconhecida como a expressão mesma do *drama romântico*. Entre suas peças, citam-se *Cromwell*, *Marion de Lorme* e *Hernani*, de fundo histórico, como as que escreveria na década de 1830: *Lucrecia Borgia*, *Os Burgraves* e *Ruy Blas*, sua melhor criação para o palco. Levado por seus ideais republicanos, nessa peça, a ação ambientada na Espanha era uma admirável fusão do grotesco e do sublime e, ao mesmo tempo, uma crítica à monarquia reimplantada na França.

Já o gênero de mais ressonância popular foi o romance, iniciado com *Notre Dame de Paris*, a história de Quasimodo e Esmeralda, cujo tom melodramático era atenuado pela força da cor local e, sobretudo, pelo talento do escritor ao entrelaçar as situações dramáticas. Seguiram-se outras narrativas de cunho histórico, em que, geralmente, uma força sombria pesava sobre as criaturas, acentuada em textos escritos após a década de 1850, com seus heróis injustiçados e sofredores, a exemplo do proscrito Jean Valjean e de Gavroche, de *Os miseráveis*.

Mas foi especialmente nos poemas reunidos em livros como *As folhas de outono*, *As vozes interiores*, *Castigos* e *Contemplações* que Victor Hugo deu vazão a seus sentimentos e seus ideais humanitários. Concebida como uma epopéia da humanidade, *A lenda dos séculos*, de 1859, reúne poemas de incomparável beleza formal. Na variedade temática e na força da imaginação que vai da fantasia leve às visões sombrias da alma, o "eu" poético faz-se eco do passado e profeta do futuro. Seu estilo altissonante, colorido, enfático, por vezes, resultado da riqueza verbal e do fascínio do ritmo, conferem perenidade a esta observação de Baudelaire: "Hugo possui não somente grandeza, mas universalidade".

Virginia WOOLF

★ Londres, Inglaterra, 1882
✝ Sussex, Inglaterra, 1941

Educada pelo pai, viveu sua juventude no bairro londrino de Bloomsbury, que se converteu no influente círculo intelectual conhecido como grupo de Bloomsbury. A ele também pertenciam intelectuais como John Maynard Keynes, E. M. Forster, T. S. Elliot e Bertrand Russell. Casada com o crítico Leonard Woolf, ambos fundaram a editorial Hogarth Press. Sua obra, composta por novelas e romances, revela uma narradora sensível, que experimenta novas formas, dispondo originalmente da relação entre o tempo histórico e físico e o tempo interior da consciência. Através de uma linguagem poética e repleta de ressonâncias simbólicas, a escritora defendeu suas concepções estéticas e o caráter distintivo da literatura escrita por mulheres, firmando seu prestígio intelectual e literário.

Obras principais: *A viagem para fora*, 1915; *Mrs. Dalloway*, 1925; *Rumo ao farol*, 1927; *Orlando*, 1928; *As ondas*, 1931

Virginia Woolf

por Rosalia Garcia

Adelaine Virginia Woolf nasceu em Londres em 25 de janeiro de 1882 e morreu em Sussex em 28 de março de 1941. Sua contribuição para a literatura de língua inglesa é de extrema importância, tanto como romancista quanto como crítica literária.

Seu pai, Sir Leslie Stephen, um intelectual conhecido da época, teve grande influência sobre o pensamento de Virginia, além de ter sido inspiração para personagens como Mr. Ramsay, do romance *Rumo ao farol*, de 1927. Após a morte de seu pai, em 1904, Virginia Woolf passou a morar em Gordon Square, Londres, local que se tornou centro de encontro do famoso grupo de Bloomsbury e que reunia vários intelectuais e artistas da época, como Clive e Vanessa Bell (irmã de Virginia), o romancista E. M. Forster, o escritor Lytton Strachey, o pintor Duncan Grant, o economista John Maynard Keynes e o escritor Leonard Woolf, entre outros. Este último tornou-se marido de Virginia em 1912. Juntos fundaram a Hogarth Press em 1917, o que deu a Virginia a liberdade necessária para publicar suas obras mais originais e de vanguarda.

Após a publicação de *A viagem para fora* e de *Noite e dia* (1919), Virginia Woolf começou a desenvolver um estilo próprio, segundo o qual o fluxo de consciência se expressava através dos ritmos e das imagens encontradas na linguagem poética, que ela transportava para as narrativas de seus romances. Seus experimentos narrativos refletem a influência da experiência temporal na consciência dos personagens, em que o tempo pode ser visto tanto como uma seqüência de momentos fragmentados quanto como um fluxo contínuo sentido através dos anos ou dos séculos. A partir de *Jacob´s Room* (1922), essa experimentação já se faz sentir; com *Mrs. Dalloway* e *Rumo ao farol*, sua técnica narrativa se aperfeiçoa. Em 1928, é publicado *Orlando*, uma biografia fantasiosa em que Woolf joga com as regras temporais e de gênero. *Um teto todo seu* (1929) é uma das obras críticas mais conhecidas de Woolf, no qual suas idéias sobre a posição das mulheres como escritoras e artistas na sociedade são expostas e na qual é desenvolvido o tema da androginia. O feminismo volta a ser tema de outro ensaio crítico, *Three Guineas* (1938).

Outros romances em que o fluxo de consciência foi utilizado são *As ondas*, *The Years* (1937) e *Entre os atos* (1941). Após terminar esse último romance, Woolf cometeu suicídio afogando-se perto de sua casa em Sussex. Também escreveu duas biografias. *Flush* (1933) baseia-se na visão que o cãozinho Flush tem de sua dona Elizabeth Browning e do marido dela, Robert Browning, ambos poetas ingleses do século XIX. A outra é uma biografia do crítico de arte Roger Fry escrita em 1940. Outros trabalhos críticos de Woolf incluem *O leitor comum* (1925-1932), *The Death of the Moth* (1942) e *Granite and Rainbow* (1958). Seus diários, em cinco volumes, foram publicados em *Diary* (1977-1984), e sua correspondência, em seis volumes, tem o título de *Letters* (1975-1980). Seu trabalho e sua vida são a prova inquestionável de que Virginia Woolf era uma escritora de gênio incomparável.

VLADIMIR NABOKOV

★ São Petersburgo, Rússia, 1899
✝ Montreux, Suíça, 1977

De família aristocrática, fugiu da Rússia em 1919, radicando-se em Berlim, onde seu pai, ativista liberal, foi assassinado. Em Londres, iniciou o curso de Zoologia da Universidade de Cambridge, mas se formou em Literatura Russa e Francesa. Publicou o primeiro romance em 1926, *Machenka*, de forte teor autobiográfico. Em 1940, Nabokov mudou-se para os Estados Unidos, naturalizando-se americano e trabalhando como professor de russo e literatura européia em diversas universidades. Escreveu também em inglês, língua para a qual traduziu a maior parte de suas obras anteriores. Em 1955, tornou-se popular com o romance *Lolita*, que escandalizou os leitores por tratar da paixão de um intelectual maduro, europeu e exilado, por uma menina de doze anos. Além da ironia e do senso de humor, o domínio da linguagem ficcional e das técnicas narrativas contribuíram para consagrar Nabokov como um dos renovadores do romance no século XX.

OBRAS PRINCIPAIS: *Machenka*, 1926; *A defesa*, 1929; *Riso no escuro*, 1938; *Lolita*, 1955

VLADIMIR NABOKOV
por Rodrigo Spinelli

Há autores cuja obra se resume a apenas um trabalho. Pode ser que não seja a melhor obra ou a única obra-prima. Não importa: a História (homens, sociedade, imprensa, crítica?) tratou de dar a palavra final. Assim, está impresso nas páginas implícitas do saber que Vladimir Nabokov será lembrado sempre como "o autor de *Lolita*".

Um dos principais motivos por que o livro ganhou fama não teria o mesmo impacto hoje. Afinal, o romance (mais que isso, uma obsessão) de um homem de meia-idade com uma garota de doze anos não escandaliza tanto. Perdeu-se um pouco do quê subversivo que tinha a história há cinqüenta anos. Portanto, quem tiver o primeiro contato com *Lolita* não será tão impressionado como foram os primeiros leitores. Mas – que fique claro – isso não a diminui em absoluto! Durante a polêmica, a confusão, o orgasmo – tudo é euforia. Somente quando baixa a poeira, enquanto se fuma aquele cigarrinho descansadamente, é possível de fato fazer uma análise. Chega-se, então, ao ponto principal, depois das carícias preliminares: *Lolita* é uma delícia. Se o tempo fez sonegar ao leitor atual parte da polêmica e do caráter de transgressão, o talento de Nabokov permanece inalterado. As frases desfilam pelo papel com a mesma sensualidade da protagonista. As palavras são exatas e descrevem personagens de (muita) carne e osso. O ritmo garante a fluidez, a vontade de não parar – quase sexual – impera. *Lolita* é paixão pura: paixão perversa, perturbadora.

O leitor mais distraído, ao se deparar com as palavras iniciais do romance ("Lolita, luz da minha vida, labareda em minha carne"), poderia crê-lo pertencente ao período romântico: amor obsessivo e impossível, exagero hiperbólico na adjetivação, dor latente. Não estaria de todo enganado: Nabokov trazia ainda alguma herança do Romantismo. A diferença é que há sempre um quê de brincadeira, acentuado por evidente cinismo. Afinal, o escritor está inserido em um ambiente que não acredita mais numa sociedade idealizada e perfeita. O ser humano, Nabokov ajudou a descobrir, é falho, imperfeito, um tanto canalha. Assim, se o mundo errante não pode ser salvo, não há como levar as coisas a sério. Esse é o tom do narrador de *Lolita*, uma voz que tem sempre um traço de ironia e sarcasmo – mesmo que em meio a mais intensa paixão. Se a obsessão romântica do século XIX era insuportável e gerava tendências suicidas, a dos anos 1950 era cínica e sem culpa – ou achava graça da própria culpa. Dessa forma, a personagem desesperadamente apaixonado de *Lolita* não chora as mágoas bêbado em um ambiente em preto-e-branco. Ao contrário: desfaz o caráter impossível do amor e rompe tabus, dando gargalhadas de si (do seu ridículo) e das vozes preconceituosas que tentam calá-lo. Assim, Nabokov brinca com a fantasia adolescente de todos os homens. Humbert Humbert, a personagem-narrador-*voyeur*-exibicionista, faz de sua paixão perversa uma câmera escondida, que vê sem ser vista, explora o objeto com os olhos lascivos sem ser descoberta – sempre no limite do suportável, beirando a explosão orgásmica.

Lolita é, acima de tudo, uma apaixonante história de amor (carnal), produto de altíssima qualidade, fruto de um talento inegável. É leitura fácil, gostosa e perturbadora. Traz enredo original, contado com ironia adorável, humor infalível e boa dose de tragédia. Afinal, o mundo não é mais perfeito. E não fique a impressão de que *Lolita* é uma obra que somente agradará a um tipo de público (homens de meia-idade ou, quem sabe, em geral). A paixão – assim como a loucura – é universal, não importa se homem, mulher, brasileiro ou russo. Humanos são humanos. Essa é a essência de Nabokov.

Walter SCOTT

★ Edimburgo, Escócia, 1771
✝ Abbotsford, Escócia, 1832

Membro de família nobre escocesa, licenciou-se em Direito, atuando como advogado, delegado e chanceler. Admirador do romantismo alemão, divulgou-o na Inglaterra, traduzindo as obras de Goethe e de Bürger. Seus primeiros textos inspiraram-se nas baladas românticas alemãs e nos cantos populares. Considerado o criador do romance histórico, contribuiu de modo decisivo para o desenvolvimento do gênero, buscando fixar as origens do seu povo na Idade Média. Além disso, ficcionalizou a história, misturando fatos e personagens reais com figuras e situações imaginárias. Seus temas preferenciais são a aventura, o amor, o sobrenatural e o patético. Sua obra mais conhecida é *Ivanhoé*, que, juntamente a outros romances, foi traduzida em vários idiomas quando de seu lançamento. A obra de Walter Scott influenciou escritores de todo o mundo, tais como Balzac, Victor Hugo, Dickens, Flaubert e Tolstói.

Obras principais: *O antiquário*, 1816; *Rob Roy*, 1818; *Ivanhoé*, 1819; *O talismã*, 1825

Walter Scott
por Eneida Menna Barreto

Walter Scott, nascido em Edimburgo, na Escócia, tornou-se um dos autores mais populares da literatura inglesa do século XIX. A infância passada no campo e o gosto precoce pela leitura formam o substrato de sua criação, uma vez que o introduziram no folclore de sua terra. O amor pelos livros, que tem sido destacado por seus biógrafos, levou-o a se interessar pelas lendas e pela história dos escoceses, refletindo-se já nas primeiras produções poéticas. Essas leituras e a prática da tradução contribuíram também para a prosa profícua que o tornou conhecido. As histórias que ouvia inspiraram suas primeiras publicações, como o *Cancioneiro dos menestréis da fronteira escocesa*, de 1796, três volumes de baladas, com raízes folclóricas, obra que resulta de seu olhar sobre a vida na Escócia. Porém, foi com *The lay of the last minstrel*, de 1805, que obteve fama. Embora continuasse a publicar poemas anonimamente no jornal *Quarterly Review*, muitos dos quais foram inspiradores de Franz Schubert, volta-se, com o tempo, para a narrativa. Em 1814, publicou anonimamente um de seus romances mais importantes, intitulado *Waverley*, no qual expressa a convicção de que o progresso social não excluiu as tradições. *O antiquário*, de 1816, além de recuar à última década do século XVIII, trata da questão social, mais especificamente das diferentes formas de mendicância na Escócia. Nesse romance, aparece o Capa Azul, "o mendigo do rei" que se considera investido de grande importância por ter-se aproximado da autoridade real. Com esse mendigo que se transforma em aristocrata de sua ordem, Walter Scott reflete sobre a questão da autoridade. Como ele, em geral, publicava no anonimato, deram-lhe a alcunha de *O Mágico do Norte* ("Wizard of the North").

Com *Ivanhoé*, publicado em 1819, abandona o universo escocês, fazendo ressurgir a Inglaterra do final do século XII. O enredo, em que ações inesperadas confundem-se aos diálogos, ressalta a luta entre saxões e normandos na disputa pelo poder na Inglaterra. Retrata a personagem que dá nome à obra pelo viés humano ao ajudar o rei Ricardo, Coração de Leão, a retomar o poder, usurpado pelo irmão. Seguem-se *O talismã* e *Rob Roy*, considerados suas mais importantes obras, juntamente com as já mencionadas. Assim como os romances acerca da Escócia refletiam o choque entre a nova cultura inglesa e a velha cultura escocesa, volta-se para o tema das Cruzadas, pondo em relevo o conflito entre culturas opostas. Esse conflito é o tema de *O talismã*, que enfoca as aventuras do rei Ricardo, Coração de Leão por terras árabes durante as Cruzadas. Nessa obra, ocorre o predomínio da fala das personagens, pois o narrador quase não se mostra e, quando o faz, costuma dirigir-se ao leitor, tornando conhecidos os hábitos de regiões distantes, além de ressaltar o gosto por aventuras narradas numa atmosfera em que o humor aparece ao lado do sobrenatural e do patético.

A originalidade de Walter Scott encontra-se, sobretudo, na inserção do pormenor significativo que descreve os costumes, o cotidiano, e que detalha o cenário. Ao inovar a arte narrativa, a sua obra, com enredo voltado a acontecimentos históricos, apresenta ação e personagens contextualizados, adaptados ao momento. Impregnada de traços românticos, consta de mais de trinta títulos e foi traduzida em vários idiomas, contribuindo para o seu reconhecimento como fundador do romance histórico. Vale ressaltar a grande ascendência do autor sobre os escritores românticos e, no caso brasileiro, sobre José de Alencar, em cujas páginas pode-se sentir a marca do estilo.

William FAULKNER

★ New Albany, EUA, 1897
✝ Oxford, Inglaterra, 1962

Natural dos Estados Unidos, ainda criança mudou-se com a família para Ripley, Oxford, Inglaterra. Participou da Primeira Guerra Mundial como aviador, retornando aos Estados Unidos após o armistício. Freqüentou a Universidade de Mississipi e exerceu diversas ocupações antes de ser reconhecido como escritor. Mais tarde, já com livros publicados, tornou-se roteirista de cinema em Hollywood. À maneira de Balzac, concebeu o conjunto de seus romances em ciclos interligados, como fragmentos de uma só história. Nessa epopéia, retratou a vida e a mentalidade predominante no Sul dos Estados Unidos: ódio racial, grandes famílias em decadência física e moral, incestos e violências. Do ponto de vista estilístico, beneficiou-se da influência de simbolistas, modernistas e, sobretudo, de James Joyce, cuja técnica do fluxo de consciência absorveu e transformou. Recebeu o Prêmio Nobel de Literatura em 1949.

Obras principais: *O som e a fúria*, 1929; *Enquanto agonizo*, 1930; *Absalão, Absalão*, 1936

William Faulkner

por Sara Viola Rodrigues

William Faulkner é um escritor fascinante e perturbador. Sua obra retrata a sociedade norte-americana de fins do século XIX e início do século XX. Faulkner escreve em um contexto sociocultural caracterizado, no plano mundial, pelas revoluções liberais e burguesas na Europa e sua influência na questão da escravidão; no plano regional, no território dos Estados Unidos, acontece a Guerra Civil (1861-1865), que passará a dividir a história da região sul norte-americana em dois momentos: antes e depois da luta, fato este também demarcado historicamente como o Velho Sul e o Novo Sul e, por sua vez, tema central da ficção faulkneriana.

Por apreender em sua obra elementos característicos das duas épocas literárias de final e início de século, William Faulkner foi alvo de muitas críticas, condenado por contradições e tachado de reacionário. A verdade é que os romances de Faulkner são por demais complexos para serem facilmente "criticados". Sua leitura exige uma atenção concentrada aos elementos ideológicos, culturais e sociais que circundavam a vida e a obra de Faulkner. À época, havia uma contradição e um antagonismo entre as idéias de lucro material (sustentado pela produção do algodão, no Sul, que dependia do sistema de escravidão, que por seu turno sustentava o sistema agrário sulino) e as idéias de liberdade, autodeterminação e direitos dos indivíduos, presentes na dinâmica social do Norte, onde imperava a concorrência comercial.

A temática de Faulkner se resume a dois elementos centrais: primeiro, a problemática do Sul norte-americano, com uma significação que extrapola o regionalismo e, segundo, a condição trágica do ser humano. Ele mesmo, ao receber o Prêmio Nobel, afirmou que a única compensação para a agonia do trabalho criativo é "[o (re)conhecimento] dos velhos princípios morais e verdades (...) do coração humano em conflito consigo próprio".

Entre 1926 e 1962, Faulkner publicou dezenove romances (entre os quais *Sartoris*, *O som e a fúria*, *Enquanto agonizo*, *Santuário*, *Luzes de agosto* e *Absalão, Absalão!*, todos traduzidos para o português), e mais de 75 *short stories*. Quinze dos romances e muitas das histórias são a respeito do povo de uma pequena região no norte do Mississipi denominada *Yoknapatawpha County*. O condado de Yoknapatawpha é um espaço imaginário na ficção faulkneriana, povoado de personagens, suas famílias, suas propriedades e seus problemas – melhor diríamos "fantasmas", para entrar no clima gótico das narrativas. Faulkner busca conferir unidade às histórias lançadas em seus romances no universo mítico de Yoknapatawpha. Assim, praticamente todas elas mantêm alguma relação de continuidade.

Dentre as obras de Faulkner, destaca-se *Absalão, Absalão!* em termos de técnica narrativa, tema(s) e símbolos. Nesse romance, o autor tematiza a mazela da escravidão, apresentando a história de quatro gerações de uma família cuja história é emblemática da própria história do Sul norte-americano. A narrativa, com *flashbacks* no tempo e no espaço, apresenta-se por meio das vozes dos personagens, os quais oferecem sua própria versão dos fatos experienciados. O clima de suspense e mistério mantém-se até os momentos finais, e o próprio leitor é instado a participar da construção de sentido do romance, tarefa bastante difícil.

Ler Faulkner não só proporciona conhecimento da história norte-americana durante a Guerra da Secessão, como também abre ao leitor a oportunidade de descobrir o uso de recursos estilísticos bastante singulares, característicos desse autor. Inegavelmente, porém, e sobretudo, a leitura da obra de William Faulkner nos arrasta para o conflito a que ele aludiu, ou seja, o confronto com os princípios morais e verdades que orientam nossa existência.

William SHAKESPEARE

✯ Stratford-upon-Avon, Inglaterra, 1564
✞ Stratford-upon-Avon, Inglaterra, 1616

Considerado um dos principais dramaturgos da literatura universal, sua vida é ainda um enigma, já que existem poucas informações seguras a seu respeito. Filho de um homem próspero e de boa posição social, que logo se arruinou, casou-se aos dezoito anos. Pouco depois, mudou-se para Londres e, sozinho, trabalhou como guardador de cavalos no teatro de James Burbage, o Globe Theater. Nesse mesmo ambiente, tornou-se ator e dramaturgo, reescrevendo textos de autores que vendiam seus repertórios às companhias teatrais. Com o tempo, Shakespeare tornou-se famoso e recuperou a fortuna familiar. Além de textos para o teatro, escreveu poemas e sonetos. Sua obra principal é formada por tragédias e comédias que já atravessaram séculos e que são fonte de inspiração para numerosas narrativas, uma vez que transmitem um profundo conhecimento da natureza humana.

Obras principais: *Romeu e Julieta*, 1594-1595; *Hamlet*, 1600-1601; *Otelo*, 1604-1605; *Rei Lear*, 1605-1606; *Macbeth*, 1605-1606; *A tempestade*, 1611-1612

William Shakespeare

por Léa Masina

Embora Shakespeare tenha escrito bons sonetos, é mais conhecido pelas peças para o teatro, tanto tragédias quanto comédias, um completo repertório sobre a condição humana. O crítico Harold Bloom considera-o como o centro do cânone ocidental e, portanto, paradigma para avaliar a literatura.

É difícil escolher uma tragédia de Shakespeare e indicá-la como leitura obrigatória. Em meu entender, *Hamlet*, *Otelo*, *Macbeth*, *Rei Lear* e *A tempestade* ocupam um espaço fundamental na construção do universo shakesperiano, embora não se possa deixar de ler os *Henriques* e os *Ricardos*, *Romeu e Julieta* e as comédias. Questões éticas, políticas, morais, naturais e suas transgressões compõem esse universo rico e amplo.

Para iniciar-se no universo Shakespeare, recomenda-se ler *Macbeth*. A leitura é fascinante, já que ali estão representadas questões humanas de extrema intensidade. Perpassado pela crueldade de uma época em que a Inglaterra estava em formação, encontra-se em *Macbeth* a articulação literária da ambição e da loucura. Lady Macbeth é uma personagem inesquecível, que domina a cena até mesmo quando desaparece. Os diálogos de Shakespeare e seus maravilhosos solilóquios ensinam aos escritores de hoje a arte de construir falas capazes de identificar o caráter de cada personagem. Há em *Macbeth* – como também em o *Rei Lear* – a identificação medieval do rei com a natureza. E disso decorre a denúncia de que o mundo adoece quando entram em crise os valores morais de uma época. Shakespeare elege o sofrimento como mecanismo de ação e cria relações humanas de extremo conflito para expor os desvãos da consciência humana nas falas e nas ações. Em *Rei Lear*, por sua vez, encontramos a complexidade das relações familiares, sempre perpassadas pelo poder feudal. O bobo da corte ali é a consciência explícita de um rei que se despoja de seu reino e do poder em favor das filhas. Essas, à exceção de Cordélia, irão traí-lo e humilhá-lo, o que torna proverbial a constatação do bobo de que ninguém deve envelhecer sem antes tornar-se sábio.

Com relação às comédias, há muito o que dizer: nelas se lê amor e desencontros. Cabe advertir que a obra de Shakespeare é um mundo a ser desvelado ao longo de toda uma vida. E nunca é tarde para começar.

William Makepeace THACKERAY

✮ Calcutá, Índia, 1811
✞ Londres, Inglaterra, 1863

Filho de um funcionário colonial de família abastada, estudou em Cambridge entre 1828 e 1830. Posteriormente, viajou pela Europa e perdeu a fortuna que recebera como herança, regressando a Londres, onde exerceu o jornalismo. Suas obras foram publicadas na imprensa antes das edições em livro, mas o que lhe assegurou popularidade foi a publicação, em capítulos, de *A feira das vaidades*, romance de costumes que combina sátira social e intenção moralizante. Outras obras suas, como a coletânea de ensaios *O livro dos esnobes* e o romance *Barry Lyndon*, revelam visão crítica das convenções sociais em uma prosa ágil e realista. Respeitado pelo público e pelos especialistas, trabalhou ativamente como conferencista, tanto em seu país quanto nos Estados Unidos. Deixou mostra de seu talento crítico no ciclo de palestras reunidas em *Humoristas ingleses do século XVIII* (1853). É considerado um dos grandes escritores realistas britânicos do século XIX.

Obras principais: *A feira das vaidades*, 1847-1848; *Barry Lyndon*, 1852; *Os virginianos*, 1857-1859

William Thackeray
por Ubiratan P. de Oliveira

Desde o início de sua carreira, William Makepeace Thackeray dedicou especial atenção à pretensão social, à discrepância por ele identificada entre as motivações reais e as fingidas e a toda espécie de hipocrisia utilizada pelos seres humanos na tentativa de procurar disfarçar suas verdadeiras intenções. Freqüentemente fazendo uso de exageros, procurou ilustrar as ironias causadas pela conquista de sucesso social à custa do abandono da virtude. Opondo-se ao Romantismo, considerava-se um "realista moral" que tentava retratar a sociedade como ela realmente era, trazendo à tona as hipocrisias, as vaidades, os esnobismos e o egoísmo dominante, escondido atrás das máscaras encantadoras usadas pelos socialmente bem-sucedidos.

Não obstante o fato de que não seja possível classificar quaisquer de seus livros como obra-prima – *A feira das vaidades*, decididamente um romance de primeira linha, seria aquele que mais se aproximaria dessa condição –, é especialmente o conjunto de suas obras que compõe uma significativa e irônica exposição das críticas do autor à tendência dominante de considerar o ser humano como um animal social. Ele observava o mundo com desencanto, mas sem cinismo. Odiava hipócritas e fingidos, cuja presença em grande número era capaz de apontar em todas as camadas da civilização.

Seu sucesso como romancista está intimamente ligado à exploração feita por ele dos efeitos da expansão econômica da Inglaterra na primeira metade do século XIX. Assim como outros contemporâneos seus, ele procurava expor como as forças da classe média foram capazes de transformar talento e sorte na especulação em sucesso confirmado pela religião. Para Thackeray, a aristocracia inglesa merecia o grande número de patifes que ela encorajava e protegia, fosse na Igreja, nas forças armadas, no funcionalismo público, no governo, na escola independente (*public school*), na imprensa, entre os comerciantes, ou seja, em toda a sociedade.

Sua obra adquire vida sempre que consegue controlar seus impulsos e, através do olhar frio do observador, retratar a linguagem e o ritmo dos indivíduos, sempre com uma boa dose de bom humor e autocrítica. Decididamente, *A feira das vaidades* é não apenas o mais conhecido de seus romances, como também pode ser considerado um dos mais importantes das literaturas de língua inglesa. Utilizando uma visão crítica e anti-heróica, o autor compõe um vasto panorama satírico de uma sociedade materialista, o qual constitui um marco na história da ficção realista.

Sua reputação como romancista como que obscurece o fato de que Thackeray também foi um dos melhores ensaístas de sua geração. Seus ensaios foram coletados em volumes como *O livro dos esnobes* (1848) e *Roundabout Papers* (1860). O primeiro, contendo ilustrações do próprio autor, é composto por ensaios publicados na revista *Punch*, nos quais Thackeray procura retratar de forma satírica os diversos tipos de esnobes por ele identificados no início da era vitoriana. Os ensaios já prenunciavam todas as preocupações sociais encontradas em *A feira das vaidades*.

Coleção **L&PM** POCKET (LANÇAMENTOS MAIS RECENTES)

232.**O mágico de Oz** – L. Frank Baum
233.**Armas no Cyrano's** – Raymond Chandler
234.**Max e os felinos** – Moacyr Scliar
235.**Nos céus de Paris** – Alcy Cheuiche
236.**Os bandoleiros** – Schiller
237.**A primeira coisa que eu botei na boca** – Deonísio da Silva
238.**As aventuras de Simbad, o marújo**
239.**O retrato de Dorian Gray** – Oscar Wilde
240.**A carteira de meu tio** – J. Manuel de Macedo
241.**A luneta mágica** – J. Manuel de Macedo
242.**A metamorfose** – Kafka
243.**A flecha de ouro** – Joseph Conrad
244.**A ilha do tesouro** – R. L. Stevenson
245.**Marx - Vida & Obra** – José A. Giannotti
246.**Gênesis**
247.**Unidos para sempre** – Ruth Rendell
248.**A arte de amar** – Ovídio
249.**O sono eterno** – Raymond Chandler
250.**Novas receitas do Anonymus Gourmet** – J.A.P.M.
251.**A nova catacumba** – Arthur Conan Doyle
252.**O dr. Negro** – Arthur Conan Doyle
253.**Os voluntários** – Moacyr Scliar
254.**A bela adormecida** – Irmãos Grimm
255.**O príncipe sapo** – Irmãos Grimm
256.**Confissões** *e* **Memórias** – H. Heine
257.**Viva o Alegrete** – Sergio Faraco
258.**Vou estar esperando** – R. Chandler
259.**A senhora Beate e seu filho** – Schnitzler
260.**O ovo apunhalado** – Caio Fernando Abreu
261.**O ciclo das águas** – Moacyr Scliar
262.**Millôr Definitivo** – Millôr Fernandes
264.**Viagem ao centro da Terra** – Júlio Verne
265.**A dama do lago** – Raymond Chandler
266.**Caninos brancos** – Jack London
267.**O médico e o monstro** – R. L. Stevenson
268.**A tempestade** – William Shakespeare
269.**Assassinatos na rua Morgue** – E. Allan Poe
270.**99 corruíras nanicas** – Dalton Trevisan
271.**Broquéis** – Cruz e Sousa
272.**Mês de cães danados** – Moacyr Scliar
273.**Anarquistas – vol. 1 – A idéia** – G. Woodcock
274.**Anarquistas – vol. 2 – O movimento** – G. Woodcock
275.**Pai e filho, filho e pai** – Moacyr Scliar
276.**As aventuras de Tom Sawyer** – Mark Twain
277.**Muito barulho por nada** – W. Shakespeare
278.**Elogio da loucura** – Erasmo
279.**Autobiografia de Alice B. Toklas** – G. Stein
280.**O chamado da floresta** – J. London
281.**Uma agulha para o diabo** – Ruth Rendell
282.**Verdes vales do fim do mundo** – A. Bivar
283.**Ovelhas negras** – Caio Fernando Abreu
284.**O fantasma de Canterville** – O. Wilde
285.**Receitas de Yayá Ribeiro** – Celia Ribeiro
286.**A galinha degolada** – H. Quiroga
287.**O último adeus de Sherlock Holmes** – A. Conan Doyle
288.**A. Gourmet** *em* **Histórias de cama & mesa** – J. A. Pinheiro Machado
289.**Topless** – Martha Medeiros
290.**Mais receitas do Anonymus Gourmet** – J. A. Pinheiro Machado
291.**Origens do discurso democrático** – D. Schüler
292.**Humor politicamente incorreto** – Nani
293.**O teatro do bem e do mal** – E. Galeano
294.**Garibaldi & Manoela** – J. Guimarães
295.**10 dias que abalaram o mundo** – John Reed
296.**Numa fria** – Charles Bukowski
297.**Poesia de Florbela Espanca** vol. 1
298.**Poesia de Florbela Espanca** vol. 2
299.**Escreva certo** – E. Oliveira e M. E. Bernd
300.**O vermelho e o negro** – Stendhal
301.**Ecce homo** – Friedrich Nietzsche
302(7).**Comer bem, sem culpa** – Dr. Fernando Lucchese, A. Gourmet e Iotti
303.**O livro de Cesário Verde** – Cesário Verde
305.**100 receitas de macarrão** – S. Lancellotti
306.**160 receitas de molhos** – S. Lancellotti
307.**100 receitas light** – H. e Â. Tonetto
308.**100 receitas de sobremesas** – Celia Ribeiro
309.**Mais de 100 dicas de churrasco** – Leon Diziekaniak
310.**100 receitas de acompanhamentos** – C. Cabeda
311.**Honra ou vendetta** – S. Lancellotti
312.**A alma do homem sob o socialismo** – Oscar Wilde
313.**Tudo sobre Yôga** – Mestre De Rose
314.**Os varões assinalados** – Tabajara Ruas
315.**Édipo em Colono** – Sófocles
316.**Lisístrata** – Aristófanes / trad. Millôr
317.**Sonhos de Bunker Hill** – John Fante
318.**Os deuses de Raquel** – Moacyr Scliar
319.**O colosso de Marússia** – Henry Miller
320.**As eruditas** – Molière / trad. Millôr
321.**Radicci 1** – Iotti
322.**Os Sete contra Tebas** – Ésquilo
323.**Brasil Terra à vista** – Eduardo Bueno
324.**Radicci 2** – Iotti
325.**Júlio César** – William Shakespeare
326.**A carta de Pero Vaz de Caminha**
327.**Cozinha Clássica** – Sílvio Lancellotti
328.**Madame Bovary** – Gustave Flaubert
329.**Dicionário do viajante insólito** – M. Scliar
330.**O capitão saiu para o almoço...** – Bukowski
331.**A carta roubada** – Edgar Allan Poe
332.**É tarde para saber** – Josué Guimarães
333.**O livro de bolso da Astrologia** – Maggy Harrisonx e Mellina Li
334.**1933 foi um ano ruim** – John Fante
335.**100 receitas de arroz** – Aninha Comas
336.**Guia prático do Português correto – vol. 1** – Cláudio Moreno
337.**Bartleby, o escriturário** – H. Melville
338.**Enterrem meu coração na curva do rio** – Dee Brown
339.**Um conto de Natal** – Charles Dickens
340.**Cozinha sem segredos** – J. A. P. Machado
341.**A dama das Camélias** – A. Dumas Filho
342.**Alimentação saudável** – H. e Â. Tonetto

343.**Continhos galantes** – Dalton Trevisan
344.**A Divina Comédia** – Dante Alighieri
345.**A Dupla Sertanojo** – Santiago
346.**Cavalos do amanhecer** – Mario Arregui
347.**Biografia de Vincent van Gogh por sua cunhada** – Jo van Gogh-Bonger
348.**Radicci 3** – Iotti
349.**Nada de novo no front** – E. M. Remarque
350.**A hora dos assassinos** – Henry Miller
351.**Flush - Memórias de um cão** – Virginia Woolf
352.**A guerra no Bom Fim** – M. Scliar
353(1).**O caso Saint-Fiacre** – Simenon
354(2).**Morte na alta sociedade** – Simenon
355(3).**O cão amarelo** – Simenon
356(4).**Maigret e o homem do banco** – Simenon
357.**As uvas e o vento** – Pablo Neruda
358.**On the road** – Jack Kerouac
359.**O coração amarelo** – Pablo Neruda
360.**Livro das perguntas** – Pablo Neruda
361.**Noite de Reis** – William Shakespeare
362.**Manual de Ecologia** – vol.1 – J. Lutzenberger
363.**O mais longo dos dias** – Cornelius Ryan
364.**Foi bom prá você?** – Nani
365.**Crepusculário** – Pablo Neruda
366.**A comédia dos erros** – Shakespeare
367(5).**A primeira investigação de Maigret** – Simenon
368(6).**As férias de Maigret** – Simenon
369.**Mate-me por favor (vol.1)** – L. McNeil
370.**Mate-me por favor (vol.2)** – L. McNeil
371.**Carta ao pai** – Kafka
372.**Os vagabundos iluminados** – J. Kerouac
373(7).**O enforcado** – Simenon
374(8).**A fúria de Maigret** – Simenon
375.**Vargas, uma biografia política** – H. Silva
376.**Poesia reunida (vol.1)** – A. R. de Sant'Anna
377.**Poesia reunida (vol.2)** – A. R. de Sant'Anna
378.**Alice no país do espelho** – Lewis Carroll
379.**Residência na Terra 1** – Pablo Neruda
380.**Residência na Terra 2** – Pablo Neruda
381.**Terceira Residência** – Pablo Neruda
382.**O delírio amoroso** – Bocage
383.**Futebol ao sol e à sombra** – E. Galeano
384(9).**O porto das brumas** – Simenon
385(10).**Maigret e seu morto** – Simenon
386.**Radicci 4** – Iotti
387.**Boas maneiras & sucesso nos negócios** – Celia Ribeiro
388.**Uma história Farroupilha** – M. Scliar
389.**Na mesa ninguém envelhece** – J. A. P. Machado
390.**200 receitas inéditas do Anonymus Gourmet** – J. A. Pinheiro Machado
391.**Guia prático do Português correto – vol.2** – Cláudio Moreno
392.**Breviário das terras do Brasil** – Assis Brasil
393.**Cantos Cerimoniais** – Pablo Neruda
394.**Jardim de Inverno** – Pablo Neruda
395.**Antonio e Cleópatra** – William Shakespeare
396.**Tróia** – Cláudio Moreno
397.**Meu tio matou um cara** – Jorge Furtado
398.**O anatomista** – Federico Andahazi
399.**As viagens de Gulliver** – Jonathan Swift
400.**Dom Quixote – v.1** – Miguel de Cervantes
401.**Dom Quixote – v.2** – Miguel de Cervantes
402.**Sozinho no Pólo Norte** – Thomaz Brandolin
403.**Matadouro 5** – Kurt Vonnegut
404.**Delta de Vênus** – Anaïs Nin
405.**O melhor de Hagar 2** – Dik Browne
406.**É grave Doutor?** – Nani
407.**Orai pornô** – Nani
408(11).**Maigret em Nova York** – Simenon
409(12).**O assassino sem rosto** – Simenon
410(13).**O mistério das jóias roubadas** – Simenon
411.**A irmãzinha** – Raymond Chandler
412.**Três contos** – Gustave Flaubert
413.**De ratos e homens** – John Steinbeck
414.**Lazarilho de Tormes** – Anônimo do séc. XVI
415.**Triângulo das águas** – Caio Fernando Abreu
416.**100 receitas de carnes** – Sílvio Lancellotti
417.**Histórias de robôs: vol.1** – org. Isaac Asimov
418.**Histórias de robôs: vol.2** – org. Isaac Asimov
419.**Histórias de robôs: vol.3** – org. Isaac Asimov
420.**O país dos centauros** – Tabajara Ruas
421.**A república de Anita** – Tabajara Ruas
422.**A carga dos lanceiros** – Tabajara Ruas
423.**Um amigo de Kafka** – Isaac Singer
424.**As alegres matronas de Windsor** – Shakespeare
425.**Amor e exílio** – Isaac Bashevis Singer
426.**Use & abuse do seu signo** – Marília Fiorillo e Marylou Simonsen
427.**Pigmaleão** – Bernard Shaw
428.**As fenícias** – Eurípides
429.**Everest** – Thomaz Brandolin
430.**A arte de furtar** – Anônimo do séc. XVI
431.**Billy Bud** – Herman Melville
432.**A rosa separada** – Pablo Neruda
433.**Elegia** – Pablo Neruda
434.**A garota de Cassidy** – David Goodis
435.**Como fazer a guerra: máximas de Napoleão** – Balzac
436.**Poemas escolhidos** – Emily Dickinson
437.**Gracias por el fuego** – Mario Benedetti
438.**O sofá** – Crébillon Fils
439.**O "Martín Fierro"** – Jorge Luis Borges
440.**Trabalhos de amor perdidos** – W. Shakespeare
441.**O melhor de Hagar 3** – Dik Browne
442.**Os Maias (volume1)** – Eça de Queiroz
443.**Os Maias (volume2)** – Eça de Queiroz
444.**Anti-Justine** – Restif de La Bretonne
445.**Juventude** – Joseph Conrad
446.**Contos** – Eça de Queiroz
447.**Janela para a morte** – Raymond Chandler
448.**Um amor de Swann** – Marcel Proust
449.**À paz perpétua** – Immanuel Kant
450.**A conquista do México** – Hernan Cortez
451.**Defeitos escolhidos & 2000** – Pablo Neruda
452.**O casamento do céu e do inferno** – William Blake
453.**A primeira viagem ao redor do mundo** – Antonio Pigafetta
454(14).**Uma sombra na janela** – Simenon
455(15).**A noite da encruzilhada** – Simenon
456(16).**A velha senhora** – Simenon
457.**Sartre** – Annie Cohen-Solal
458.**Discurso do método** – René Descartes
459.**Garfield em grande forma (1)** – Jim Davis
460.**Garfield está de dieta** (2) – Jim Davis

461.**O livro das feras** – Patricia Highsmith
462.**Viajante solitário** – Jack Kerouac
463.**Auto da barca do inferno** – Gil Vicente
464.**O livro vermelho dos pensamentos de Millôr** – Millôr Fernandes
465.**O livro dos abraços** – Eduardo Galeano
466.**Voltaremos!** – José Antonio Pinheiro Machado
467.**Rango** – Edgar Vasques
468(8).**Dieta mediterrânea** – Dr. Fernando Lucchese e José Antonio Pinheiro Machado
469.**Radicci 5** – Iotti
470.**Pequenos pássaros** – Anaïs Nin
471.**Guia prático do Português correto – vol.3** – Cláudio Moreno
472.**Atire no pianista** – David Goodis
473.**Antologia Poética** – García Lorca
474.**Alexandre e César** – Plutarco
475.**Uma espiã na casa do amor** – Anaïs Nin
476.**A gorda do Tiki Bar** – Dalton Trevisan
477.**Garfield um gato de peso (3)** – Jim Davis
478.**Canibais** – David Coimbra
479.**A arte de escrever** – Arthur Schopenhauer
480.**Pinóquio** – Carlo Collodi
481.**Misto-quente** – Charles Bukowski
482.**A lua na sarjeta** – David Goodis
483.**O melhor do Recruta Zero (1)** – Mort Walker
484.**Aline 2** – Adão Iturrusgarai
485.**Sermões do Padre Antonio Vieira**
486.**Garfield numa boa (4)** – Jim Davis
487.**Mensagem** – Fernando Pessoa
488.**Vendeta** *seguido de* **A paz conjugal** – Balzac
489.**Poemas de Alberto Caeiro** – Fernando Pessoa
490.**Ferragus** – Honoré de Balzac
491.**A duquesa de Langeais** – Honoré de Balzac
492.**A menina dos olhos de ouro** – Honoré de Balzac
493.**O lírio do vale** – Honoré de Balzac
494(17).**A barcaça da morte** – Simenon
495(18).**As testemunhas rebeldes** – Simenon
496(19).**Um engano de Maigret** – Simenon
497(1).**A noite das bruxas** – Agatha Christie
498(2).**Um passe de mágica** – Agatha Christie
499(3).**Nêmesis** – Agatha Christie
500.**Esboço para uma teoria das emoções** – Sartre
501.**Renda básica de cidadania** – Eduardo Suplicy
502(1).**Pílulas para viver melhor** – Dr. Lucchese
503(2).**Pílulas para prolongar a juventude** – Dr. Lucchese
504(3).**Desembarcando o Diabetes** – Dr. Lucchese
505(4).**Desembarcando o Sedentarismo** – Dr. Fernando Lucchese e Cláudio Castro
506(5).**Desembarcando a Hipertensão** – Dr. Lucchese
507(6).**Desembarcando o Colesterol** – Dr. Fernando Lucchese e Fernanda Lucchese
508.**Estudos de mulher** – Balzac
509.**O terceiro tira** – Flann O'Brien
510.**100 receitas de aves e ovos** – J. A. P. Machado
511.**Garfield em toneladas de diversão** (5) – Jim Davis
512.**Trem-bala** – Martha Medeiros
513.**Os cães ladram** – Truman Capote
514.**O Kama Sutra de Vatsyayana**
515.**O crime do Padre Amaro** – Eça de Queiroz
516.**Odes de Ricardo Reis** – Fernando Pessoa
517.**O inverno da nossa desesperança** – Steinbeck
518.**Piratas do Tietê (1)** – Laerte
519.**Rê Bordosa: do começo ao fim** – Angeli
520.**O Harlem é escuro** – Chester Himes
521.**Café-da-manhã dos campeões** – Kurt Vonnegut
522.**Eugénie Grandet** – Balzac
523.**O último magnata** – F. Scott Fitzgerald
524.**Carol** – Patricia Highsmith
525.**100 receitas de patisseria** – Sílvio Lancellotti
526.**O fator humano** – Graham Greene
527.**Tristessa** – Jack Kerouac
528.**O diamante do tamanho do Ritz** – S. Fitzgerald
529.**As melhores histórias de Sherlock Holmes** – Arthur Conan Doyle
530.**Cartas a um jovem poeta** – Rilke
531(20).**Memórias de Maigret** – Simenon
532(4).**O misterioso sr. Quin** – Agatha Christie
533.**Os analectos** – Confúcio
534(21).**Maigret e os homens de bem** – Simenon
535(22).**O medo de Maigret** – Simenon
536.**Ascensão e queda de César Birotteau** – Balzac
537.**Sexta-feira negra** – David Goodis
538.**Ora bolas – O humor de Mario Quintana** – Juarez Fonseca
539.**Longe daqui aqui mesmo** – Antonio Bivar
540(5).**É fácil matar** – Agatha Christie
541.**O pai Goriot** – Balzac
542.**Brasil, um país do futuro** – Stefan Zweig
543.**O processo** – Kafka
544.**O melhor de Hagar 4** – Dik Browne
545(6).**Por que não pediram a Evans?** – Agatha Christie
546.**Fanny Hill** – John Cleland
547.**O gato por dentro** – William S. Burroughs
548.**Sobre a brevidade da vida** – Sêneca
549.**Geraldão (1)** – Glauco
550.**Piratas do Tietê (2)** – Laerte
551.**Pagando o pato** – Ciça
552.**Garfield de bom humor (6)** – Jim Davis
553.**Conhece o Mário?** – Santiago
554.**Radicci 6** – Iotti
555.**Os subterrâneos** – Jack Kerouac
556(1).**Balzac** – François Taillandier
557(2).**Modigliani** – Christian Parisot
558(3).**Kafka** – Gérard-Georges Lemaire
559(4).**Júlio César** – Joël Schmidt
560.**Receitas da família** – J. A. Pinheiro Machado
561.**Boas maneiras à mesa** – Celia Ribeiro
562(9).**Filhos sadios, pais felizes** – R. Pagnoncelli
563(10).**Fatos & mitos** – Dr. Fernando Lucchese
564.**Ménage à trois** – Paula Taitelbaum
565.**Mulheres!** – David Coimbra
566.**Poemas de Álvaro de Campos** – Fernando Pessoa
567.**Medo e outras histórias** – Stefan Zweig
568.**Snoopy e sua turma (1)** – Schulz
569.**Piadas para sempre (1)** – Visconde da Casa Verde
570.**O alvo móvel** – Ross Macdonald
571.**O melhor do Recruta Zero (2)** – Mort Walker
572.**Um sonho americano** – Norman Mailer
573.**Os broncos também amam** – Angeli
574.**Crônica de um amor louco** – Bukowski
575(5).**Freud** – René Major e Chantal Talagrand
576(6).**Picasso** – Gilles Plazy
577(7).**Gandhi** – Christine Jordis
578.**A tumba** – H. P. Lovecraft

579.**O príncipe e o mendigo** – Mark Twain
580.**Garfield, um charme de gato (7)** – Jim Davis
581.**Ilusões perdidas** – Balzac
582.**Esplendores e misérias das cortesãs** – Balzac
583.**Walter Ego** – Angeli
584.**Striptiras (1)** – Laerte
585.**Fagundes: um puxa-saco de mão cheia** – Laerte
586.**Depois do último trem** – Josué Guimarães
587.**Ricardo III** – Shakespeare
588.**Dona Anja** – Josué Guimarães
589.**24 horas na vida de uma mulher** – Stefan Zweig
590.**O terceiro homem** – Graham Greene
591.**Mulher no escuro** – Dashiell Hammett
592.**No que acredito** – Bertrand Russell
593.**Odisséia (1): Telemaquia** – Homero
594.**O cavalo cego** – Josué Guimarães
595.**Henrique V** – Shakespeare
596.**Fabulário geral do delírio cotidiano** – Bukowski
597.**Tiros na noite 1: A mulher do bandido** – Dashiell Hammett
598.**Snoopy em Feliz Dia dos Namorados! (2)** – Schulz
599.**Mas não se matam cavalos?** – Horace McCoy
600.**Crime e castigo** – Dostoiévski
601(7).**Mistério no Caribe** – Agatha Christie
602.**Odisséia (2): Regresso** – Homero
603.**Piadas para sempre (2)** – Visconde da Casa Verde
604.**À sombra do vulcão** – Malcolm Lowry
605(8).**Kerouac** – Yves Buin
606.**E agora são cinzas** – Angeli
607.**As mil e uma noites** – Paulo Caruso
608.**Um assassino entre nós** – Ruth Rendell
609.**Crack-up** – F. Scott Fitzgerald
610.**Do amor** – Stendhal
611.**Cartas do Yage** – William Burroughs e Allen Ginsberg
612.**Striptiras (2)** – Laerte
613.**Henry & June** – Anaïs Nin
614.**A piscina mortal** – Ross Macdonald
615.**Geraldão (2)** – Glauco
616.**Tempo de delicadeza** – A. R. de Sant'Anna
617.**Tiros na noite 2: Medo de tiro** – Dashiell Hammett
618.**Snoopy em Assim é a vida, Charlie Brown! (3)** – Schulz
619.**1954 – Um tiro no coração** – Hélio Silva
620.**Sobre a inspiração poética (Íon)** e ... – Platão
621.**Garfield e seus amigos (8)** – Jim Davis
622.**Odisséia (3): Ítaca** – Homero
623.**A louca matança** – Chester Himes
624.**Factótum** – Charles Bukowski
625.**Guerra e Paz: volume 1** – Tolstói
626.**Guerra e Paz: volume 2** – Tolstói
627.**Guerra e Paz: volume 3** – Tolstói
628.**Guerra e Paz: volume 4** – Tolstói
629(9).**Shakespeare** – Claude Mourthé
630.**Bem está o que bem acaba** – Shakespeare
631.**O contrato social** – Rousseau
632.**Geração Beat** – Jack Kerouac
633.**Snoopy: É Natal! (4)** – Charles Schulz
634(8).**Testemunha da acusação** – Agatha Christie
635.**Um elefante no caos** – Millôr Fernandes
636.**Guia de leitura (100 autores que você precisa ler)** – Organização de Léa Masina
637.**Pistoleiros também mandam flores** – David Coimbra
638.**O prazer das palavras – vol. 1** – Cláudio Moreno
639.**O prazer das palavras – vol. 2** – Cláudio Moreno
640.**Novíssimo testamento: com Deus e o diabo, a dupla da criação** – Iotti
641.**Literatura Brasileira: modos de usar** – Luís Augusto Fischer
642.**Dicionário de Porto-Alegrês** – Luís A. Fischer
643.**Clô Dias & Noites** – Sérgio Jockymann
644.**Memorial de Isla Negra** – Pablo Neruda
645.**Um homem extraordinário e outras histórias** – Tchekhov
646.**Ana sem terra** – Alcy Cheuiche
647.**Adultérios** – Woody Allen
648.**Para sempre ou nunca mais** – R. Chandler
649.**Nosso homem em Havana** – Graham Greene
650.**Dicionário Caldas Aulete de Bolso**
651.**Snoopy: Posso fazer uma pergunta, professora? (5)** – Charles Schulz
652(10).**Luís XVI** – Bernard Vincent
653.**O mercador de Veneza** – Shakespeare
654.**Cancioneiro** – Fernando Pessoa
655.**Non-Stop** – Martha Medeiros
656.**Carpinteiros, levantem bem alto a cumeeira & Seymour, uma apresentação** – J.D.Salinger
657.**Ensaios céticos** – Bertrand Russell
658.**O melhor de Hagar 5** – Dik Browne
659.**Primeiro amor** – Ivan Turguêniev
660.**A trégua** – Mario Benedetti
661.**Um parque de diversões da cabeça** – Lawrence Ferlinghetti
662.**Aprendendo a viver** – Sêneca
663.**Garfield, um gato em apuros (9)** – Jim Davis
664.**Dilbert 1** – Scott Adams
665.**Dicionário de dificuldades** – Domingos Paschoal Cegalla
666.**A imaginação** – Jean-Paul Sartre
667.**O ladrão e os cães** – Naguib Mahfuz
668.**Gramática do português contemporâneo** – Celso Cunha
669.**A volta do parafuso** *seguido de* **Daisy Miller** – Henry James
670.**Notas do subsolo** – Dostoiévski
671.**Abobrinhas da Brasilônia** – Glauco
672.**Geraldão (3)** – Glauco
673.**Piadas para sempre (3)** – Visconde da Casa Verde
674.**Duas viagens ao Brasil** – Hans Staden
675.**Bandeira de bolso** – Manuel Bandeira
676.**A arte da guerra** – Maquiavel
677.**Além do bem e do mal** – Nietzsche
678.**O coronel Chabert** *seguido de* **A mulher abandonada** – Balzac
679.**O sorriso de marfim** – Ross Macdonald
680.**100 receitas de pescados** – Sílvio Lancellotti
681.**O juiz e o seu carrasco** – Friedrich Dürrenmatt
682.**Noites brancas** – Dostoiévski
683.**Quadras ao gosto popular** – Fernando Pessoa
684.**Romanceiro da Inconfidência** – Cecília Meireles
685.**Kaos** – Millôr Fernandes
686.**A pele de onagro** – Balzac
687.**As ligações perigosas** – Choderlos de Laclos
688.**Dicionário de matemática** – Luiz Fernandes Cardoso

GRÁFICA EDITORA
Pallotti
IMAGEM DE QUALIDADE

Santa Maria - RS - Fone/Fax: (55) 3220.4500
www.pallotti.com.br